Die vier großen Epochen der deutschen Kunstgeschichte an Hand einer Anzahl ausgezeichnet gewählter, besonders markanter Werke zu kennzeichnen, sie im Vergleich miteinander unterscheiden und verstehen lernen, ist die Zielsetzung des Werkes. Seine Übersichtlichkeit und Klarheit stempelt es zu einem Volkswerk, dem Laien wie dem Kunstkenner wertvoll. Besondere Erwähnung verdienen die knappen Kennzeichnungen der einzelnen Epochen und der mit ihnen verbundenen Kunstrichtungen, nicht durch Stilelemente, das heißt äußerlich-technische Merkmale, sondern durch das Lebensgefühl, das innere Wesen und den Charakter der Menschen, die das künstlerische Schaffen der betreffenden Zeitabschnitte formten. Diese wahrhaft innere Schau nicht nur vorgeführt, sondern mit wunderbarer Anschaulichkeit an zahllosen Beispielen bewiesen zu haben, ist die Leistung des Buches. Die Erweiterung durch ein umfangreiches Register mit Erläuterungen über Künstler, Kunstwerke, Kunststätten und Fachausdrücke macht es gleichzeitig zu einem handlichen und übersichtlichen Nachschlagewerk für jeden kunstbeflissen Lernenden.

WILHELM MÜSELER · DEUTSCHE KUNST IM WANDEL DER ZEITEN

WILHELM MÜSELER

DEUTSCHE KUNST

IM WANDEL DER ZEITEN

247 ABBILDUNGEN AUF KUNSTDRUCKTAFELN
37 ABBILDUNGEN IM TEXT UND 4 KARTEN

SAFARI-VERLAG · BERLIN

Umschlagentwurf von Bernhard Borchert
nach einem Farbfoto der „Wies" (Ullstein-Bilderdienst, Berlin)
Für das Gesamtwerk werden alle Rechte, insbesondere das der Übersetzung, dem Verlag vorbehalten
Nachdruck der einzelnen Bilder und der Bilderserie nur mit ausdrücklicher Genehmigung
Gedruckt im Druckhaus Tempelhof, Berlin
Copyright 1959 by Safari-Verlag Carl Boldt und Reinhard Jaspert Berlin. Printed in Germany

JEDES VOLK
BRINGT SEINE IHM EIGENTÜMLICHE KUNST HERVOR

Stets, zu allen Zeiten und in allen Erdteilen, haben die Menschen sich irgendwie künstlerisch betätigt. Schon aus grauer Vorzeit, von der uns kaum eine geschichtliche Überlieferung ausführliche Kunde zu geben vermag, sind überall Anzeichen dafür gefunden worden. Selbst bei ganz primitiven Völkern sind Gesänge und Tänze, oft auch schon Sagen, Dichtungen, Malereien oder Skulpturen anzutreffen.

Jedes Volk aber bringt seine ihm eigentümliche Kunst hervor. Was ein Volk auf den Sunda-Inseln für künstlerische Musik hält, ist für ein anderes Volk nur monotoner, unverständlicher Lärm. Was der eine als hochkünstlerischen Tempeltanz bewundert, erscheint einem andern als eine Folge unbegreiflicher, sinnloser Verrenkungen des Körpers. Aber nicht nur solche freien Schöpfungen der Phantasie, auch Nachbildungen des gleichen Vorbildes aus der Natur weichen so sehr voneinander ab, daß man oft kaum zu erkennen vermag, was ein anderer hat darstellen wollen.

Solche Unterschiede sind nicht Zufall, sie sind auch nicht bestimmt von der Höhe der Kulturstufe; die hochentwickelte Kunst Ostasiens ist grundverschieden von der Ägyptens und Babylons, die Kunst Griechenlands von der der Inkas, aber ebenso unterschiedlich ist auch die primitive Kunst irgendeines grönländischen Stammes von der eines jeden Negervolkes.

Die Kunst ist immer abhängig von Art und Rasse eines Volkes. Je näher zwei Völker einander hinsichtlich Charakter, Anlagen, Geschmack und Lebensgewohnheiten stehen, desto näher verwandt erscheinen auch die von ihnen hervorgebrachten Kunstwerke. Die Kunst gibt ein so getreues Spiegelbild von der Eigenart eines jeden Volkes, daß sogar Rassen- und Stammesverwandtschaft verschiedener Völker sich an Hand ihrer Kunstäußerungen nachweisen lassen.

Dies kommt daher, daß die Kunst eines Volkes von den Künstlern nicht etwa wie von einer Kaste mit abgesondertem Eigenleben geschaffen wird. Gewiß ist jeder Mensch eine Persönlichkeit für sich, mit eigenem Charakter, deshalb ist auch das Werk des einen immer grundverschieden von dem, was der andere schafft; aber die Charaktere der Angehörigen eines Volkes ähneln einander viel mehr als die von verschiedenen Rassen. Die Kunst gibt infolgedessen stets ein Spiegelbild von der Eigenart des Volkes in seiner Gesamtheit. Jeder Künstler ist, ob bewußt oder unbewußt, abhängig von dem Charakter, dem Geschmack und den Lebensgewohnheiten seines Volkes. Auf ihn wirken alle Ereignisse und geistigen Strömungen infolge seiner Empfindsamkeit stärker als auf andere

Menschen. Dies macht sich selbst dann geltend, wenn der Künstler in völliger Zurückgezogenheit schafft; denn immer lebt er doch in Abhängigkeit von der Welt, die ihn umgibt. Der größte schöpferische Genius mag in mancher Hinsicht seiner Mitwelt weit voraus sein, er bleibt doch immer ein Kind seines Volkes und seiner Zeit. Je nach den Anlagen von Charakter und Gemüt eines Volkes werden die verschiedenen Künste, Dichtung, Musik, Baukunst oder Malerei, stärker oder weniger stark in den Vordergrund treten, auch wohl tiefer oder weniger tief empfunden werden. Die Russen und Ungarn, und vor allem die Zigeuner, haben eine Vorliebe für Musik, andere Völker, wie die Ägypter und Griechen, haben die bildenden Künste mehr gepflegt.

Je nach der mehr oder weniger vollendeten Beherrschung der technischen Mittel und Errungenschaften erscheint auch die Kunst eines Volkes vollkommener oder primitiver; immer aber wird die Kunst der Wesensart ihrer Schöpfer entsprechen. Dies äußert sich sowohl bei der Auswahl dessen, was künstlerisch behandelt wird, als auch in der Art der Behandlung der gleichen Themen. Das eine Volk ist stolz auf eine Vergangenheit voll Kampf und Sieg und feiert seine Helden in Lied und Sage, ein anderes, wie das indische, hat dafür weniger Sinn; bei ihm gebührt höchste Verehrung dem Heiligen, der allen Gütern der Welt entsagte. Ein kampffreudiges Geschlecht baut trutzige Burgen, ein Handelsvolk bringt Kaufhäuser hervor.

Die Höhe der Kulturstufe eines Volkes bestimmt naturgemäß seine Bedürfnisse und Gewohnheiten auf allen Gebieten, sie verändert aber niemals den Wesenskern des Volkscharakters. Der deutsche Mensch bringt nordische Kunst hervor, solange er deutsch bleibt und ebenso denkt und fühlt; der Chinese bringt ebensolange chinesische Kunst hervor. Mit der Verfeinerung der Kultur wird sich die deutsche Kunst ändern und auch die chinesische, aber die deutsche Kunst wird dabei immer deutsch bleiben und die chinesische immer chinesisch. Die Kunst eines jeden Volkes paßt sich der jeweiligen Kulturstufe an und ist Schwankungen unterworfen — das allgemeine Niveau ändert sich und damit die durchschnittliche Höhe der Qualität; aber der Kern bleibt derselbe. Man sollte nicht den falschen Schluß ziehen, daß alles, was in Zeiten hoher Blüte hervorgebracht wird, auch wirklich gut und umgekehrt jedes Werk aus einer Zeit des Tiefstandes notwendigerweise geringwertig sein muß.

DIE KUNST EINES JEDEN VOLKES WANDELT SICH IM LAUFE DER ZEITEN

Wie ist es aber möglich, daß mancher auch Kunstwerken seines eigenen Volkes — vor allem solchen aus weiterer Vergangenheit — verständnislos gegenübersteht? Man braucht nur die Besucher eines Museums zu beobachten, wenn sie achtlos an Malereien und Plastiken der Frühzeit vorübergehen. Ein inneres Verhältnis besteht keineswegs; eine Feststellung, die mit aller Deutlichkeit darauf hinweist, daß in Gedankenwelt und Kunstschaffen Wandlungen von erheblichem Gewicht vorliegen. Woher kommen solche Wandlungen? — Sie können sehr verschiedener Art sein; prägen Gefühls- und Denkungsart eines Volkes in sehr mannigfaltiger Weise um:

Auf die Dauer sind von entscheidender Wirkung vor allem Blutmischungen, die die Wesensart der Bevölkerung verändern. Das ist in England durch das Eindringen der Normannen und in Spanien durch die Verbindung mit der maurischen Bevölkerung eingetreten. Die englische und die spanische Kunst haben dadurch auf Jahrhunderte ihr eigenartiges Gepräge bekommen.

Auch große Veränderungen auf politischem und wirtschaftlichem Gebiet sind für das Kunstschaffen eines jeden Volkes von nachhaltiger Bedeutung: Der Aufstieg zur Weltmacht, wie ihn nacheinander Spanien, die Niederlande und England erlebt haben, führte in der Kunst dieser Völker einzigartige Blütezeiten herauf. In ähnlicher Weise spiegeln sich in der italienischen Kunst die Glanzzeiten von Florenz und Venedig. In Zeiten von Aufstieg, Reichtum und Macht herrscht immer ein emsiger Schaffensdrang, ist das Bedürfnis nach Prunk und Pracht groß. Wenn Sorge und Not die Menschen niederdrücken, ist die Lust zu überflüssig erscheinendem Schmuck geringer, und die Aufträge an die Künstler werden seltener. Mag der Sinn für Kunst und Schönheit im Grunde derselbe sein — zu allen Zeiten haben große Künstler gelebt und gewirkt —, es schafft sich aber anders im Wohlstand als in der Armut.

Ferner können neue Ideen von größerer Tragweite und neue wissenschaftliche Erkenntnisse in der Entwicklung von Kultur und Kunst erhebliche Wandlungen hervorrufen. So hat die Scholastik die Kunst in ein religiös überspitztes Fahrwasser gesteuert und der Humanismus gerade das Gegenteil bewirkt, die weltliche Note der Kunst angebahnt. Ebenso stark hat sich auch die Reformation ausgewirkt und noch stärker die nüchterne, fast kunstfeindliche Haltung der reformierten Kirche in den Niederlanden. Einen mächtigen Auftrieb hat die Kunst wieder durch Gegenreformation und Inquisition erhalten, deren untilgbare Spuren sich im Kunstschaffen aller Völker — allerdings unterschiedlich —

bemerkbar gemacht haben; endlich hat die Aufklärung im 18. Jahrhundert der Vorherrschaft der religiösen Themen ein Ende bereitet.

Solche Wandlungen, die sich im Kunstschaffen der Völker geltend machen, werden oft nicht mehr in vollem Umfange gewürdigt, weil man sie als selbstverständlich und allgemein bekannt voraussetzt — im Gegensatz dazu werden in der Wissenschaft andere Momente, die weniger offenkundig sind, häufiger betont wie: die antike Grundlage der europäischen Kultur und fremde Einflüsse — gelegentlich vielleicht zu stark.

Gewiß ist es bemerkenswert, wenn die hochentwickelte byzantinische Kunst die deutsche Plastik derart beeinflußt hat, daß einzelne Kunstwerke fast an Buddha-Statuen erinnern (Seiten 110/111). Dieser Einfluß ist aber in derselben Epoche noch überwunden worden.

Für die Baukunst in England, Deutschland und Italien ist es auch von großer Bedeutung gewesen, als man das gotische Strebesystem aus Frankreich übernahm. Diese Übernahme erfolgte in jedem der drei Länder aber in anderer Weise. Die Kirchenbauten haben in jedem Lande ihr eigenes Gesicht bekommen und sind dem Wesen dieser Völker völlig verschmolzen.

Schließlich kann der italienische Einfluß in Renaissance und Barock unmöglich geleugnet werden. War er aber wirklich allein bestimmend? Die Ideen, die zur Reformation führten und das deutsche Geistesleben völlig umgestaltet haben, kamen nicht aus Italien. In der Kunst ist es auch nicht etwa italienischem Einfluß zuzuschreiben, daß mit die bedeutendsten Kirchenbauten der Gotik jahrhundertelang als Wahrzeichen einer versunkenen Welt unvollendet stehengeblieben sind (Seiten 50/51).

Immer ist es ein besonderes Zeichen von Kraft, wenn ein Volk fremde Einflüsse überwindet und seiner Eigenart verschmilzt. Wer diese Kraft nicht hat, kann keine ihm eigentümliche Kunst hervorbringen. Mit der Betrachtung von Einflüssen, die man bei jedem Künstler und bei jedem einzelnen Kunstwerk feststellen kann, wird natürlich Verständnis für die Kunst in einzelnen außerordentlich gefördert. Dem Laien wird aber der Überblick durch zu viele Hinweise auf fremden Einfluß erschwert. Entscheidend ist es, daß man die Kunst in ihrer Eigenart und ihren großen Wandlungen erkennt.

Insofern spricht man von Zeitstilen.

DEUTSCHE KUNST IST DIE IM DEUTSCHEN KULTURKREIS GESCHAFFENE KUNST

Das deutsche Volk brachte und bringt innerhalb seines Kulturkreises deutsche Kunst hervor. Die Grenzen des deutschen Kulturkreises sind aber nicht so fest und deutlich gezogen wie die politischen Grenzen. Die mächtigen Höhenzüge der Alpen bildeten eine strenge Kulturscheide nach dem Süden. Deutsches und italienisches Wesen sowie deutsche und italienische Kunst sind deshalb immer, trotz aller gegenseitigen Beeinflussung, leicht voneinander zu unterscheiden. An den anderen Grenzen haben Stammesverwandtschaft und Handelsbeziehungen die deutliche Scheidung verhindert. So sind die heutigen Niederlande und das heutige Belgien jahrhundertelang, bis tief in die Barockzeit, auch politisch deutsche Lande gewesen; Belgien ist länger noch als die österreichischen Niederlande zum deutschen, germanischen Kulturkreis zu rechnen. Friesen, Niederländer und Flamen sind rassisch, sprachlich und wirtschaftlich zur Zeit der Hanse noch als ein großes, untrennbares Kulturgebiet aufzufassen. Man rechnet falsch, wenn man die hier erst seit so kurzer Zeit bestehenden politischen Grenzen glaubt als Chinesische Mauer ansehen zu müssen. Innige Beziehungen haben auch auf allen künstlerischen Gebieten in Sage, Literatur und Musik bestanden. Brügge, Gent und Antwerpen sind Hansestädte gewesen wie Emden, Bremen und Lübeck. Die Zeit hat Städte und Menschen, die früher eng miteinander verbunden waren, im Laufe der Jahrhunderte gewandelt.

Deutsche Kunst ist, was auf deutschem Boden geschaffen wurde, was aus deutscher Eigenart und deutscher Kultur entstand.

Will man sich ein Bild von diesem Kunstschaffen machen, darf man deshalb nicht will-kürlich die früheren Verhältnisse nach den heutigen Grenzen betrachten und weite Gebiete deutscher Kultur nur deshalb aus der Betrachtung ausschließen, weil eine spätere Zeit sie, oft nur vorübergehend, von dem politischen Verbande des Deutschen Reiches losgerissen hat. Wien, Prag, Innsbruck und manch andere Städte sind deutsch gewesen; Rembrandt und Rubens werden überall in der Welt, der Stammeszugehörigkeit nach, zur deutschen Kunst gezählt, wenn sie auch von den Holländern und Flamen mit Recht als spezifisch hollän-dische und flämische Künstler in Anspruch genommen werden. Beide stehen in ihrem Wollen und ihrer Weltanschauung keinem anderen Kulturkreis nahe. Rein politisch gesehen ist Rembrandts „Nachtwache", eines seiner bedeutendsten Kunstwerke, im Jahre 1642 auch noch auf deutschem Boden gemalt worden. Rubens hat auf deutschem Boden das Licht der Welt erblickt, hier gelebt und gearbeitet und ist in deutscher Erde als Flame begraben worden. Ganz anders Watteau, der auch in Flandern, in Valenciennes, geboren wurde zur Zeit, als dieser Landstrich kurz vorher an Frankreich abgetreten war. Seinem ganzen Wesen nach Wallone-Franzose, hat Watteau von Rubens viel angenommen, fehlte es doch an Bildern aus der Rubens-Schule in seiner Vaterstadt nicht. Viele Anklänge aus Rubensschen „Liebesgärten" sind in Watteaus „galanten Festen" wiederzufinden — aber gerade an der unterschiedlichen Auffassung kann man die deutsche und die fremde Wesensart am deutlichsten erkennen.

Mannigfaltig und vielseitig wie die deutschen Stämme ist auch die deutsche Kunst.

Der Friese und der Schlesier, der Ostpreuße und der Schwabe sind grundverschiedene Menschen, und das zeigt sich naturgemäß auch deutlich an ihrer Kunst. Solche Unterschiede, mögen sie uns Deutschen noch so groß erscheinen, sind letzten Endes aber so gering, daß sie bei größerem Abstande fast ganz schwinden.

Die Beeinflussung der deutschen Kunst durch das Ausland ist zu allen Zeiten ebenso groß gewesen wie umgekehrt infolge der engen wirtschaftlichen Beziehungen und der geographischen Lage Deutschlands im Herzen Mitteleuropas. Deutsche Künstler sind im Ausland gewesen und haben dort studiert. Auch Dürer war zweimal in Italien. Die Meister, die am Naumburger und Bamberger Dom, in Straßburg und Köln gearbeitet haben, sind vorher nachweisbar in Reims und Chartres gewesen — viele Einzelheiten des Naumburger und des Bamberger Doms sind ohne das Vorbild der Kathedrale von Laon nicht denkbar. Deshalb sind die von allen diesen Künstlern geschaffenen Werke trotzdem deutsch, weil sie deutscher Wesensart entsprechen. Stellt man sie neben Gemälde und Skulpturen des Auslandes, dann stimmt wohl dieses oder jenes Detail überein, aber die Grundauffassung ist so verschieden voneinander, daß eine Verwechslung trotz aller Anklänge unmöglich erscheint.

VIER GROSSE ZEITABSCHNITTE SIND IN DER DEUTSCHEN KUNST ZU UNTERSCHEIDEN

Man unterscheidet in der deutschen Kunst, seit das Reich unter Karl dem Großen, zum ersten Male geeint, im Kreise der Völker eine mächtige und bedeutsame Rolle zu spielen begann, bis zum Untergange des alten Römischen Reiches Deutscher Nation vier große Zeitabschnitte. Die Kunststile dieser Epochen sind als die romanische, die gotische, die Renaissance- und die Barockepoche in das Volksempfinden eingegangen. Es ist versucht worden, diese Zeitabschnitte anders einzuteilen, die Zusammenhänge auf Grund dieser oder jener Gesichtspunkte in anderer Weise zu deuten. Diese Versuche sind gescheitert, weil die Entwicklung unserer Vergangenheit sich aus inneren Gründen kaum besser gliedern läßt. Jeder dieser Stile zeigt trotz aller Mannigfaltigkeit ein einheitliches Bild. Die für die verschiedenen Epochen gebräuchlichen Bezeichnungen sind allerdings Fremdwörter, die leicht zu einer falschen Deutung führen können.

Den ältesten dieser Stile als „romanisch" zu bezeichnen, hat erst nach 1825 ein französischer Forscher empfohlen, als ob der Stil im wesentlichen von romanischen Völkern, Franzosen und Italienern, geschaffen worden und undeutschen Ursprungs sei. Die ganze Epoche wird aber von dem deutschen Kaisertum als Universalmacht bestimmt. Ihr Wesen kann sich nicht reiner und ursprünglicher ausprägen als in den deutschen Burgen und burgähnlichen Kirchen der Zeit, in den Skulpturen, Wandmalereien und Dichtungen. Antike und orientalische Einflüsse sind in der deutschen Kunst weniger zu spüren als in der der anderen Länder. Deshalb sollte man ihn besser als „germanisch" bezeichnen.

Die Bezeichnung „gotisch" stammt aus der italienischen Renaissance und war herabsetzend gemeint, um den barbarischen Ursprung zu kennzeichnen.

Mit „Renaissance" werden gleichzeitige Strömungen in Italien und Deutschland zusammengefaßt, die nur zum Teil parallellaufen, in ihrer tieferen Bedeutung aber gar nicht so viel miteinander gemein haben. Wenn man in Italien mit Recht von einer „Wiedergeburt" (renaissance) als einer Erneuerung der Antike sprechen kann, bedeutet diese Epoche für Deutschland zwar auch zweifellos eine völlige Abkehr vom Vorhergegangenen, aber treffender würde man sie als die „Zeit der Reformation" bezeichnen.

„Barock" war ursprünglich als Scheltname gedacht und sollte, nach seiner Ableitung von dem spanischen Wort „barucca" = schiefrunde Perle, das Schwülstige des Stils geißeln. Verständnis für die verschiedenen Zeiten bahnt sich am besten an, wenn man mit einem Blick auf die Karte sich über die Erscheinungen in Geschichte, Literatur, Musik und die bildenden Künste unterrichtet.

DER DEUTSCHE KULTURKREIS IN DER ROMANISCHEN ZEIT

DIE ROMANISCHE ZEIT

Geschichte	Literatur	Musik	Baukunst	Plastik	Malerei
814 Tod Karls des Großen 843 Vertrag von Verdun Teilung des Reiches in: Westfranken Lotharingien Ostfranken 870 Vertrag von Mersen Ostfranken erhält Elsaß, Friesland und Lotharingien **Blütezeit des Kaisertums** 936–973 Otto d. Gr. 1056–1106 Heinrich IV. 1152–1190 Friedrich Barbarossa 1096–1270 **Die Kreuzzüge** 1198 **Gründung des deutschen Ritterordens** Kolonisation des Ostens Ohnmacht der Städte und Bürger	Sagen-Dichtungen **Waltharilied** 940 Eckehard von St. Gallen **Gudrunlied** 1210 aufgezeichnet **Nibelungenlied** 1200 schon vollständig vorhanden **Minnesänger** 1170–1228 Walther v. d. Vogelweide 1160–1210 Hartmann von Aue † 1220 Gottfried von Straßburg um 1200 Wolfram von Eschenbach	**Gregorianischer Chor** Sequenzen (St. Gallen) Einstimmiger Liturgiegesang Geistliches Volkslied (Leisen), entwickelt aus der Gregorianik Erste Anfänge der Volksmelodik um 1100 Anfänge der Mehrstimmigkeit **Minnegesänge** **Fiedel — Harfe** Flöte — Guitarre Anfänge der Notenschrift Vagantenlieder	**Mächtige Kaiserpfalzen** Schlösser und Burgen Völlig zerstört: Hagenau, Ingelheim, Gelnhausen, Wimpfen, Kaiserslautern, Xanten Teilweise erhalten, restauriert: Aachen, Goslar, Dankwarderode, Wartburg **Kirchen und Klöster** 1. Flachgedeckte Basiliken Gernrode, Quedlinburg, Hildesheim 2. Gewölbte Kirchen Mainz, Speyer, Worms, Maria Laach 3. Spätromanische Kirchen Bonn, Bamberg, Naumburg, Köln, Limburg	Lange Zeit maßgebend beeinflußt durch **byzantinische** Vorbilder **(Elfenbeinplastik)** Bildwerke meist nur als Schmuck von Bauwerken: An den Seiten eines Portals (am **Gewände**) Im Bogenfeld über einem Portal **(Tympanon)** an **Chorschranken** Sehr oft flach als **Relief** Vieles zerstört (Witterung, Kriege, Brände, Bilderstürmer) **Goldschmiedearbeiten** Köln, Dreikönigsschrein Aachen, Prunkschrein	**Ölfarbe noch unbekannt** Meist alles verblaßt und zerstört durch Feuchtigkeit (Zerstörung der Bauwerke), so daß ein richtiger Eindruck kaum noch gegeben ist Fast ausschließlich **Freskomalerei** (unmittelbar auf die Wände) **Mosaike** **Feine Buchmalereien** auf Leder und Pergament Anfänge der **Glasmalerei**

DER ROMANISCHE MENSCH UND DER ROMANISCHE STIL

etwa 1000-1250

Kulturträger: Der Ritter

Eine männliche Zeit, die unter dem Schutze eines mächtigen deutschen Kaisertums und unter der Vorherrschaft des Ritters deutsche Kultur in die Grenzmarken nach dem Osten immer weiter vortrug. Ein wehrhaftes Geschlecht, das, unkompliziert und seiner Heimat verbunden, einfach und edel dachte, kampfgewohnt und kampfgestählt, ohne Überschwang und große Gebärde. Treue und Wahrhaftigkeit waren ihm die höchsten Tugenden.

So stehen zur Zeit der Kreuzzüge Burgen und Schlösser, Mauern und Kirchen trutzig wie Festungswerke, monumental, schön und edel gegliedert; dem entsprechen Sagen und Dichtungen der Minnesänger, das Lied der Gudrun und der Nibelungentreue, so klingt der gregorianische Chorgesang. Auch die Malerei jener Zeit, die mehr oder weniger zerstört auf uns überkommen ist, war in Umriß und Farbe mehr großzügig und monumental angelegt als fein ausgeführt. Ihre verblaßten Spuren sind in die Abbildungen dieses Buches nicht aufgenommen worden, weil sie durch die Wiedergabe noch mehr verlieren und sich dadurch ein ganz falsches Bild ergeben würde.

Es wäre aber falsch, anzunehmen, daß höfische Sitte und Anstand den Menschen der damaligen Zeit fremd gewesen seien. Ihre Kunst beweist uns das. Der romanische Mensch beugt den Nacken nur vor seinem Gott und seinem Kaiser, führt das Schwert und den Pflug in der Faust besser als Feder und Pinsel. Und doch sind uns Gold- und Silberarbeiten und Buchmalereien aus jener Zeit erhalten, die nicht nur Freude und Verständnis an verfeinerter Kleinkunst, sondern auch ein großes Können beweisen.

Werke des romanischen Stils erscheinen deshalb
      zumeist: ritterlich, wuchtig, schwer, wehrhaft, gelassen, erhaben, trutzig, herb,
      gelegentlich: hart, primitiv.
Diese Bezeichnungen treffen auf Werke aus anderen Epochen nur ausnahmsweise zu.

DER DEUTSCHE KULTURKREIS ZUR ZEIT DER GOTIK

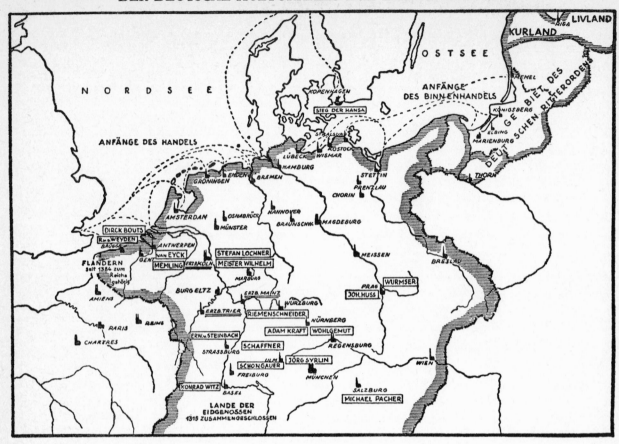

DIE GOTISCHE ZEIT

Geschichte	Literatur	Musik	Baukunst	Plastik	Malerei
1254-1273 Interregnum **Verfall der kaiserlichen Macht**	**Dramatische Kirchenspiele**	**Blüte der kirchlichen Vokalmusik**	Schlösser und Burgen Eltz, Marienburg, Meissen	Frei stehende Figuren, die um ihrer selbst willen geschaffen wurden, nicht mehr nur im Dienst der Baukunst	**Ölmalerei** Vielfach auf Holz
Vormacht der Kurfürsten	Weihnachts-, Passions-, Osterspiele, Legenden	Motetten-Messen Polyphonie — Kontrapunkt Herrschaft der Niederlande Dufay, Obrecht, Josquin	**Höchste Blüte des Kirchenbaus**	**Hohe Blüte in Stein- und Holz-Plastik**	**Kirchen- und Altarbilder** (Flügelaltäre — Tafelmalerei)
Die Erzbischöfe von Mainz, Trier, Köln	Fastnachtsspiele Possen seit etwa 1400				1366-1441 **Jan van Eyck**
Fehden und Raubrittertum Gründung von Städtebünden 1241 Hansabund 1254 Rheinbund 1291 Eidgenossen 1376 Schwäbischer Bund	Anfänge und erste Blüte des Meistergesanges Michel Beham	Weltliche Vokalmusik (deutsche Volkslieder) Heinrich Isaak Heinrich Finck	Freiburg, Köln, Marburg, Prag, Regensburg, Straßburg, Ulm, Wien	**Dombauhütten** (Meisterschulen — Holzschnitzerschulen)	um 1400 Meister Franke 1400-1461 **Roger v. d. Weyden**
Hussitenkrieg — Bauernkrieg	Volkslieder bei Landsknechten, wandernden Gesellen	An Stelle des fahrenden Spielmanns später Stadtpfeifer und Ratsmusikus	Kirchen in Backsteinbau	Verschiedene Kreise Ein Schwäbischer Kreis Ein Fränkischer Kreis Ein Kölnischer Kreis	1400-1475 Dirck Bouts 1400-1447 Konrad Witz 1400-1471 Petrus Cristus
Blüte des deutschen Ritterordens 1351-1381 Winrich v. Kniprode 1309 Sitz Marienburg	Nachblüte des Minnegesangs 1250-1318 Heinrich Frauenlob 1367-1445 Oswald v. Wolkenstein	Im 12. und 13. Jahrh. Kirchengesang ausschließlich lateinisch im 14. Jahrhundert auch deutsche Lieder	Chorin, Danzig, Lübeck, Prenzlau, Rostock, Thorn, Wismar Rathäuser (Hansabund)	**Tilman Riemenschneider**	1410-1451 **Stefan Lochner** 1434-1519 Michael Wolgemut
Die großen Konzile 1409 zu Pisa 1414-1418 zu Konstanz (1415 Johann Huß verbrannt) 1431-1449 zu Basel	**Die Mystiker** Prosa Meister Eckart † 1327 Johann Tauler † 1361	Verbesserung der seit 9. Jahrhundert verbreiteten **Orgel** Pedal 1300 erfunden Zungenstimmen 1400	Braunschweig, Danzig, Bremen, Brügge, Brüssel, Rostock, Stralsund, Löwen, Lübeck, Breslau, Thorn, Münster	1460-1531 Adam Kraft 1455-1509 Michael Pacher 1430-1498	1445-1480 **Hans Memling** 1445-1491 Martin Schongauer

DER GOTISCHE MENSCH UND DER GOTISCHE STIL

etwa 1250-1500

Kulturträger: Die Kirche

Als die Macht des deutschen Kaisertums versank, entwickelte sich die Lebensgestaltung des deutschen Menschen mehr und mehr unter dem überragenden Einfluß der Kirche. Alles Denken wurde beherrscht von der Scholastik. Wir vermögen heute kaum noch zu fassen, wie unsere Vorfahren zur Zeit der Gotik derart im Banne einer ganz auf das Jenseits gerichteten Idee alle ihre Lebensäußerungen nur von dieser Idee abhängig gemacht haben. Von Kanzel und Beichtstuhl aus ergriff die Kirche als zunächst einzige überragende, städteverbindende Macht die Zügel und wurde zum alleinigen Kulturträger der Zeit. Dramatische Kirchenspiele beherrschen die Literatur, während in der Musik die Blütezeit der kirchlichen Vokalmusik dem entspricht. Mächtige Dome entstehen, deren gewaltiges Ausmaß in majorem gloriam ecclesiae Architekten und Baumeister beschäftigen, zu deren Ausschmückung Bildhauer und Maler herangezogen werden. So stark war die kirchliche, mystische Einstellung, daß profane Musik und Literatur, profane Plastik und Malerei vollkommen zurückgedrängt waren. Selbst Porträts erscheinen fast nur auf religiösen Gemälden. Ratsherren und Bürgermeister sind dann kniend im Gebet in die Ecke solcher Bilder gemalt, meist nur dann, wenn solche Darstellungen aus der biblischen Geschichte von ihnen der Kirche zum Geschenk gemacht wurden (Stifter-Bilder). Während auf den großen Straßen, die den Verkehr von Stadt zu Stadt vermittelten, Raubrittertum und Fehden ihr Unwesen trieben, schlossen sich der Adel zu Adelsbündnissen, die Städte allmählich zu Städtebündnissen zusammen. In jener Zeit wurde auch die Hanse gegründet. Wie die Kirchenbauten jener Zeit mächtig und leicht zum Himmel emporragen und mystisches Dunkel die Menschen zu Gott, zu reuiger Einkehr führt, so ist auch das körperliche Ideal feingliedriger, auch die Haltung nicht mehr so aufrecht. Die figürlichen Plastiken, die in großer Anzahl das Innere der Kirche schmücken, sind schlanker geworden, ihre Haltung oft wie ein S gekrümmt als Ausdruck innerlicher Demut.

Werke des gotischen Stils erscheinen deshalb
      zumeist: kirchlich, verinnerlicht, mystisch, inbrünstig, erhebend, ergeben, demütig
                                   (Marienbilder insbesondere: zart, jungfräulich),
    gelegentlich: verstiegen, niederdrückend.
Diese Bezeichnungen treffen auf Werke aus anderen Epochen nur ausnahmsweise zu.

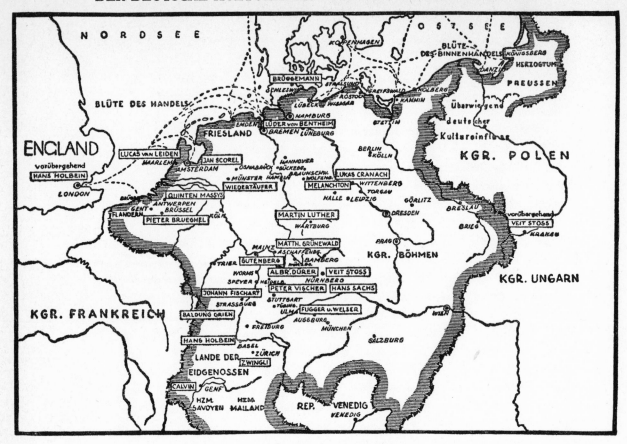

DIE RENAISSANCEZEIT

Geschichte	Literatur	Musik	Baukunst	Plastik	Malerei
Die Erfindungen 1310 Kompaß 1354 Schießpulver, Untergang des Rittertums 1450 Buchdruckerkunst 1492 Entdeckung Amerikas 1500 Taschenuhr **Der Humanismus** um 1500 Dalberg um 1500 Copernicus um 1500 Erasmus v. Rotterdam **Die Reformation** 1517 Luthers 95 Thesen Bilderstürmer **Höchste Ausdehnung der Hanse** nach ihrem Kriege gegen Dänemark In Augsburg die Welser und Fugger **Verfall des deutschen Ritterordens** Preußen weltliches Herzogtum	**Martin Luther** 1483-1546 Bibelübersetzung 1521—1534 Kirchenlieder Philipp Nicolai † 1608 **Hans Sachs** 1494—1576 in Nürnberg allein über 6000 Dichtungen Schwänke, Tragödien, Komödien, Fastnachtsspiele **Till Eulenspiegel** ältester bekannter Druck 1415 Entstehung der **Sage vom Dr. Faust** 1587 zuerst abgedruckt	**Der evangelische Choral** (Martin Luther) Gemeindegesang Instrumentalbegleitung zu Gesang Generalbaß — Anfänge von Opern und Oratorien **Blüte des Meistergesangs (Hans Sachs)** Musikunterricht auf d. Lateinschulen Organisten — Kantore Reine Instrumentalmusik Orgel (Paumann) Cembalo Clavicord Michael Praetorius 1621	**Rathäuser und Bürgerbauten** Augsburg — Bremen Braunschweig Breslau — Danzig Emden — Görlitz Hameln — Helmstedt Köln — Münster Nürnberg — Prag Straßburg — Stuttgart **Wenige Schlösser** Torgau, Heidelberg, Tübingen, Bamberg, Stuttgart, Dresden **Fast keine Kirchen** Wolfenbüttel — Bückeburg Würzburg — München	Adam Kraft 1455-1509 *) Tilman Riemenschneider 1460-1531 *) **Veit Stoß** 1460-1533 **Peter Vischer** 1460-1529 Michael Pacher 1430-1498*) Hans Brüggemann um 1520 Friedrich Hagenauer um 1530 Loy Hering 1485-1555 Johann Beldensnyder 1505-1562 *) noch vielfach zur Gotik gerechnet	**Albrecht Dürer** 1471-1528 **Lucas Cranach** 1472-1553 **Hans Holbein** 1497-1543 Hans Baldung Grien 1476-1545 **Mathias Grünewald** † um 1530 Amberger † 1563 Quentin Massys † 1530 Georg Flegel 1564-1638 Italien **Lionardo da Vinci** 1452-1519 **Raffael** 1483-1519

DER RENAISSANCEMENSCH UND DER RENAISSANCESTIL

Die Kunst der Reformationszeit

etwa 1500-1600

Kulturträger: Der Bürger

Aus der mystisch überspitzten Gedankenwelt, in die der gotische Mensch sich hinein-
gesteigert hatte, haben Männer mit offenem Blick und einfachem geraden Charakter ihre
Zeitgenossen herausgeführt. Die Erfindung der Druckerpresse ermöglichte eine bis dahin
ungeahnte Verbreitung von Schriften. Die weltliche Bildung des Humanismus verdrängte
die kirchliche Scholastik. Damit und in Verbindung mit dem inzwischen mächtig auf-
geblühten Reichtum der Hansestädte waren dem Erwachen des Bürgertums und auch der
Reformation die Wege geebnet. Der Mensch der deutschen Renaissance lehnt sich auf
gegen die Bevormundung der Kirche, seiner eigenen individuellen Rechte bewußt. Es ist
sicher kein Zufall, daß für die Bauarbeiten an den mächtigen Domen des Mittelalters in allen
Teilen des Reiches kein Geld mehr aufzutreiben ist und die Arbeiten überall fast gleichzeitig eingestellt werden müssen — in Köln und in Ulm, in Regensburg, Prag wie am Stephansdom in Wien (Seite 50/51). Einfache, strengere Menschen haben zunächst die Führung:
der Reformator Martin Luther, der Dichter Hans Sachs, Albrecht Dürer, neben Grünewald einer der größten Maler seiner Zeit, Peter Vischer und Veit Stoß, die bekannten Bildhauer. Gradlinig und logisch, nüchterner als früher muten uns die Räume an, gerade und
aufrecht ist auch wieder die Haltung der Skulpturen, jede Einzelheit wird wichtig
genommen. Weltliche Schwänke, Trägödien und Fastnachtsspiele treten allenthalben in den
Vordergrund. Der deutsche Meistergesang entwickelt sich neben dem evangelischen Choral,
der Haus- und Kirchenmusik. Prächtige Rathäuser und Bürgerbauten werden überall in
den reichen Hansestädten aufgeführt. Auch auf dem Gebiete der Malerei wird es nicht mehr
als Frevel angesehen, das Porträt zu pflegen. Man besinnt sich plötzlich darauf, daß nicht
nur Altarbilder, sondern auch Landschaften, Blumenstücke und Stilleben gemalt werden
können, mit denen der Bürger die Wände seines Heims schmückt. So hat der Bürger den
Priester als Kulturträger abgelöst, wie dieser einst den Ritter.

Werke des Renaissancestils erscheinen deshalb
      zumeist: bürgerlich, einfach, aufrecht, würdevoll, natürlich, zuverlässig, offen,
      gelegentlich: eng, kleinlich, nüchtern.
Diese Bezeichnungen treffen auf Werke aus anderen Epochen nur ausnahmsweise zu.

DER DEUTSCHE KULTURKREIS ZUR ZEIT DES BAROCK

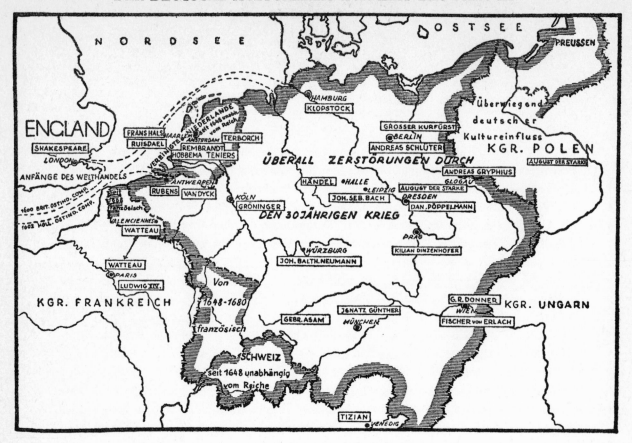

DIE BAROCKZEIT

Geschichte	Literatur	Musik	Baukunst	Plastik	Malerei
1618-1648 **Der 30jährige Krieg** Zerfall des Reiches **Niederlande und Schweiz selbständig** **1640-1688** **Der Große Kurfürst** 1692 Ernst August in Hannover 1698 **August der Starke v. Sachsen** wird König von Polen 1701 **Friedrich I. König in Preußen** **Entwicklung des Welthandels** 1600 England Gründung der ostind. Komp. 1602 Holland Gründung der ostind. Komp. in Frankreich 1643-1715 **Ludwig XIV.**	Verheerungen des 30jährigen Krieges — Stillstand auf allen Gebieten — Späte Blüte an verschiedenen Höfen				**Peter Paul Rubens** 1577-1640 **Rembrandt van Rijn** 1607-1669 Frans Hals 1580-1666 Antonis van Dyck 1599-1641 David Teniers 1582-1649 Ruisdael 1628-1682 Paul Troger 1698-1777 Adam Elsheimer 1578-1610 Rottenhammer 1564-1625 Sandrart 1606-1688
	Andreas Gryphius 1610—1664 Paul Gerhardt 1607-1676 Klopstock 1724-1807 (Messias) Abraham a Santa Clara 1644-1709	**Johann Sebastian Bach** 1685-1750 Matthäus- u. Johannes-Passion, Oratorien und Kantaten Höhepunkt der Orgelmusik **Georg Friedrich Händel** 1685-1759 Oratorien — Messias Heinrich Schütz 1585-1672 Anfänge der Konzert- und Kammermusik	**Andreas Schlüter** 1664-1714 **Balthasar Neumann** 1687-1753 Kilian J. Dientzenhofer 1689-1751 Gebrüder Asam Cosmas 1686-1739 Egid 1692-1756 Daniel Pöppelmann 1667-1736 Johann Fischer v. Erlach 1656-1723	**Andreas Schlüter** 1664-1714 Ignaz Günther 1725-1775 Gebrüder Asam Cosmas 1686-1739 Quirin 1692-1756 Gerhard Gröninger G. R. Donner 1693-1741	in Italien **Michelangelo** 1475-1564 Tizian 1477-1576 Tiepolo 1696-1770 (hat auch in Deutschland gemalt)
	in England **Shakespeare** 1564-1616 in Spanien **Cervantes** † 1616 Don Quichotte	Blüte der italienischen Oper Die Geigenbaukunst in Cremona (Amati, Stradivari Guarneri) Das Hammerklavier	in Italien **Michelangelo** 1475-1564 St. Peter in Rom	in Italien **Michelangelo** 1475-1564 Moses — David — Pieta	in Spanien **Velasquez** 1599-1660 **Murillo** 1618-1682

18

DER BAROCKMENSCH UND DER BAROCKSTIL

etwa 1600-1750

Kulturträger: Weltliche und geistliche Fürsten

Schon in der Renaissancezeit verlockte der Wohlstand in reichen Städten allmählich zu größerem Prunk, der mehr und mehr aus stärkerem Gestaltungswillen zu lebensvolleren, lebendigeren Formen führte. Das mächtige Vorwärtsdrängen auf allen Gebieten, umwälzende Ereignisse, die vor allem die seefahrenden Länder berührten, brachten es mit sich, daß der neue Gestaltungswille seinen stärksten Aufschwung von den am Welthandel beteiligten Ländern und Städten erhielt. Michelangelo hat in Italien an der Wiege des Barocks gestanden. In Spanien, von wo aus der Genueser Christoph Columbus Amerika entdeckte, und welches zunächst die Vorherrschaft über den neuen Kontinent für sich in Anspruch nahm, schufen Velasquez und Murillo einen neuen Stil, den Shakespeare in England, jeder in seiner Sprache, zur Geltung brachte, und der sich gleichzeitig auf allen Gebieten der Kunst durchsetzte.

Im deutschen Kulturkreis haben vor allem Rembrandt und Rubens anderen Künstlern den Weg gewiesen, auf welchem dem Detail der ihm gebührende Platz im Licht oder im Dunkel angewiesen wird, ohne die Einzelheiten deshalb zu vernachlässigen.

Das Innere Deutschlands wird durch Armeen und Banden heimgesucht, die während des Dreißigjährigen Krieges plündernd und zerstörend das Land verwüsten. Nur schwer kann sich das Land von solchem Schlage erholen, aber dann setzt sich der Wille wiederhochzukommen an den Hofhaltungen in Wien, Berlin und Dresden, in Würzburg und in Bayern machtvoll durch. Weltliche und kirchliche Fürsten sind dieses Mal überall in gleicher Weise an der Förderung der Künste beteiligt. Der Drang nach Geltung ist in den beiden Richtungen des Barocks, der kirchlichen Gegenreformation und dem weltlichen Absolutismus, übereinstimmend die vorherrschende Tendenz.

Prunkvoll, nicht mehr gradlinig, in allen Teilen geschweift, mit Licht und Schatten spielend, stehen die Bauten, dehnen sich wieder die Räume nach allen Seiten. So bewegen sich in großer Gebärde die Figuren auf Gemälden und die Skulpturen.

Werke des Barockstils erscheinen deshalb

zumeist: fürstlich, großartig, verheißend, fröhlich, verzückt, rauschend, repräsentativ, überschäumend,

gelegentlich: pathetisch, übertrieben.

Diese Bezeichnungen treffen auf Werke aus anderen Epochen nur ausnahmsweise zu.

So haben die Menschen in den verschiedenen Epochen als Volksganzes ihren Stil geschaffen, aber nicht absichtlich, sondern unbewußt, aus ihrem Erleben heraus. Wie jeder echte Stil so, ganz von selbst, aus Weltanschauung und Lebensgefühl entsteht, kann man bei ihm Höhepunkte, über die die Entwicklungskurve hinweggleitet, jedoch niemals Ruhepunkte feststellen.

Das Denken eines Volkes hat eine gemeinsame große Linie, so unterschiedlich jeder auch die Welt von seinem Standpunkt aus ansieht. Der einzelne kann plötzlich seine Ansicht ändern und Neues für wahr halten — im Leben des ganzen Volkes dauert es eine geraume Zeit, bis eine neue Ideenwelt zum Siege reift. Deshalb lassen sich Stile nie scharf voneinander abgrenzen. Es wird von einem besonderen „Übergangsstil" zwischen der romanischen Zeit und der Gotik gesprochen, einer Zeit des Ringens, des Tastens und Suchens, die Jahrzehnte gedauert hat, bevor die neue Weltanschauung sich durchgesetzt hatte. Der Übergang von der Gotik zur Renaissance ist unter dem Einfluß der Buchdruckerkunst und der Reformation schneller erfolgt.

Jeder der Stile hat sich in Nord und Süd, in Ost und West anders entwickelt. Der Schwabe und der Ostpreuße, der Friese und der Schlesier sind ganz verschieden geartete Menschen. Ihre Eigenart spiegelt sich naturgemäß auch in ihrer Kunst wider, ebensosehr wie in ihren Lebensgewohnheiten und in ihrer Vorliebe zu diesen oder jenen Dingen. Auf diese Unterschiede wird im Bilderteil absichtlich nicht verwiesen, obwohl die Renaissance in Nürnberg und in Bremen sich ebenso stark unterscheidet wie beispielsweise das Barock in Bayern und in Danzig. Es sollten zunächst einmal die Zeiten und ihre Stile im großen gezeigt werden, deshalb durfte nicht von vornherein der Überblick durch zu viele Einzelheiten getrübt werden.

VERSTÄNDNIS FÜR DIE WANDLUNGEN DER DEUTSCHEN KUNST ERFORDERT STILGEFÜHL

Kunstgeschichte und Stilgefühl sind zwei Begriffe, die untrennbar miteinander verbunden sein sollten. Nur wer mit den Stilen der kunstgeschichtlichen Entwicklung eine lebendige Vorstellung verbindet, kann die Kunstgeschichte im großen begreifen.

Die Bezeichnungen „romanisch", „gotisch", „Renaissance" und „Barock" sind den meisten Menschen geläufig, und trotzdem verbinden nur wenige mit diesen Begriffen eine wirklich klare Vorstellung. Die Fähigkeit, beim Anblick eines Kunstwerks zu erkennen, in welcher Stilepoche es entstanden ist, gilt als „schwarze Kunst", die den Sachverständigen vorbehalten ist. Und doch will jeder, der sich mit deutscher Kunst beschäftigt, einen klaren Überblick über das gesamte Gebiet des deutschen Kunstschaffens bekommen; einen Überblick, der ihn sowohl bekannt macht mit den bedeutenden Werken und Künstlern, der ihm aber auch den Werde- und Entwicklungsgang der Kunst so anschaulich nahebringt, daß die großen Epochen der Entwicklung nicht mehr als zwar längst bekannte, aber nichtssagende Begriffe im Gedächtnis haftenbleiben, sondern daß sich mit ihnen eine feststehende Vorstellung verbindet. Kunst ist Gefühlssache und will empfunden sein. Der Künstler schafft aus innerem Empfinden heraus, mehr unbewußt, nach seinem Gefühl, als akademisch nach festen Regeln, nicht nur mit dem Verstande wie der Gelehrte. Jeder, der die Welt aus der gleichen Lebensauffassung ansieht wie der Künstler, dessen Werk er betrachtet, ist diesem Künstler innerlich verwandt. Er empfindet deshalb die Werke dieses Künstlers nicht als stilisiert, sondern als den ganz natürlichen Ausdruck seines Empfindens. Je inniger die Verwandtschaft ist, desto mehr verliert sich das Bewußtsein der Tatsache, daß auch dieses Kunstwerk, wie alle anderen, notwendigerweise irgendeinem Stil zugehören muß. Je mehr man aber von der Weltanschauung eines Künstlers entfernt ist, desto fremdartiger und desto eigentümlicher stilisiert empfindet man dessen Werk. Ebenso liegt dem einen die romanische, dem anderen die gotische Weltanschauung näher. So sehr der eine oder andere auch das eine oder andere Kunstwerk bewundert — er liebt im allgemeinen den Stil besonders, dem er innerlich am meisten verwandt ist.

Wer deshalb Verständnis für ein Kunstwerk vergangener Zeiten gewinnen will, muß versuchen, sich in das Lebensgefühl jener Zeiten hineinzuversenken. Die meisten Menschen haben genügend geschichtliche Kenntnisse aus der Schule, haben von der großen Kaiserzeit, vom Nibelungenlied und den Kreuzzügen gehört, um sich unter der romanischen Zeit etwas vorstellen zu können — haben vom Verfall der kaiserlichen Macht und vom Raubrittertum, von der Vormachtstellung der geistlichen Kurfürsten zur Zeit der Gotik gehört — von der Hanse, von Hans Sachs und der Reformation — von der Gegenreformation, vom Dreißigjährigen Krieg und vom Absolutismus.

Mit einer großen Anzahl von Kunstwerken aller Art macht das Leben jeden Menschen automatisch bekannt. Je mehr man gesehen hat, und je größer die Freude am Sehen war, desto stärker wird der Wunsch sein, in die Tiefe zu dringen. Zu diesem Zwecke sollte man aber nicht versuchen, in kurzer Zeit wahllos möglichst vielerlei in sich aufzunehmen, sondern man sollte von vornherein darauf bedacht sein, sich Klarheit zu verschaffen. Raumgefühl ist vielleicht das ursprünglichste Stilempfinden, weil der umgebende Raum, ob weit oder eng, Blick, Gefühl und Phantasie des sich in ihm aufhaltenden Menschen in bestimmter Weise begrenzt und dadurch ganz unmittelbar auf ihn wirkt. Die Eindruckskraft des Raumes ist so stark, weil sie unbewußt ist, und weil man sich gegen eine bedrückende Enge oder verwirrende Weite nicht wehren kann. Ebenso wirken in der Natur die Weite des Meeres und die Majestät der Berge so gewaltig und zugleich so verschieden.

Die Architektur ist deshalb von allen Künsten am ehesten geeignet, Stilgefühl zu wecken, weil sie dem Menschen den Raum baut und damit Empfindungs- und Gedankenwelt in eine bestimmte Richtung leitet. Jeder hat schon einmal still in einer Kirche gesessen und den Raum auf sich wirken lassen, schauend und träumend, die Grenzen des Raumes mit den Augen abtastend. Irgendeine Erinnerung ist davon zurückgeblieben, oft nicht nur visuell, durch das Auge, oft auch akustisch unterstützt vom Ohr — ein Eindruck, der haftenbleibt. Ein solches Erlebnis kann sich jeder verschaffen, der in einer romanischen Kirche einen gregorianischen Choral hört und im Gegensatz dazu in einer gotischen Kirche die andächtige Gemeinde beim Hochamt beobachtet; hier wirken die kultische Handlung, der Orgelklang und der Duft des Weihrauchs zusammen so stark auf das Empfinden, daß man gewissermaßen die Gotik erlebt. Einen wie starken Gegensatz dazu bildet der Geist der Reformationszeit, den man in einer protestantischen Kirche empfindet, wenn der Choral Martin Luthers ertönt: Ein' feste Burg ist unser Gott! Dagegen wirkt wie aus einer anderen Welt eine Prozession, die man in einer der prunkvollen süddeutschen Barockkirchen erlebt.

So hat jeder schon einmal den Stil vergangener Zeiten in sich aufgenommen, wenn er sich dessen vielleicht auch nicht immer ganz bewußt geworden ist. Und damit hat er auch den ersten Schritt getan, um die Menschen jener Epochen in ihrer Eigenart zu begreifen. Man hört so oft die Bauweise der verschiedenen Epochen aus technischen Neuerungen deuten. Das Technische ist niemals das Primäre. Es wird keinem Menschen je einfallen, eine Kirche etwa deshalb besonders hoch zu bauen, weil man das so schön kann, sondern immer nur weil man will, daß sie so und nicht anders wirken soll. So ergeben sich die Baupläne der Kirchen aus Gedankenwelt, Andachtsbedürfnis und Raumgefühl, die zu allen Zeiten verschieden sind.

Die Kirchen der romanischen Epoche haben alle etwas von dem wehrhaften, trutzigen Wesen der Ritterschaft (Seite 46, 48, 52). Diese war aus dem Lehnsverhältnis heraus mit dem Grund und Boden fest verwurzelt. In dem sicheren Gefühl dieser Verbundenheit bahrte der Adel seine Toten im Gruftgewölbe, der Krypta, auf, errichtete über ihr als dem heiligsten Raum den Altar und baute so seine Kirche aus der Erde heraus, mit dieser verwachsen, wuchtig und schwer.

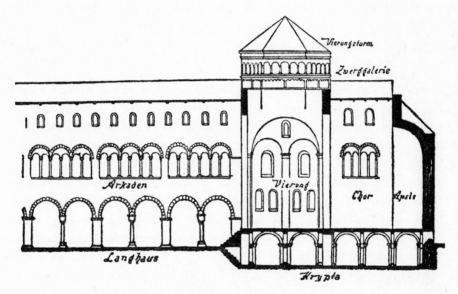

Längsschnitt durch eine romanische Kirche
Ähnlich, unter Vierung und Chor, liegt die Krypta in Quedlinburg, Speyer, Straßburg, Naumburg
und Bamberg, oft auch nur unter dem Chor wie in Gernrode, Hildesheim, Bonn, Mainz, Worms u. a.

Das Andachtsbedürfnis des gotischen Menschen ist stärker verinnerlicht und bewegt sich in anderer Richtung. Der von Scholastik und Mystik gebildete Mensch beugt sich tiefer in Demut und Inbrunst vor Gott. Er baut sich dazu einen Raum, der ihm die Allmacht Gottes in sinnfälliger Weise zum Bewußtsein bringt. Sein Raumgefühl strebt nach oben, zu Gott (Seite 49, 51). Er benutzt wohl noch vorhandene Gruftgewölbe, auch er setzt seine Toten noch in der Kirche bei, aber nie mehr ist in gotischer Zeit noch eine Krypta gebaut worden. Pfeiler und Bogen der Kirche recken sich licht zum Himmel empor. Der Raum ist nicht mehr so einfach gegliedert, so schlicht und so wuchtig. Das Helldunkel

23

mystischen Zaubers durchflutet den Raum, buntgemalte Fenster dämpfen das Licht und lassen es in allen Nuancen spielen.

In der Reformationszeit ist der Mensch wieder schlichter, wenn er auch, wie Luther und Faust, tiefernst und suchend den Dingen des Jenseits gegenübersteht. Die mehr gerade, natürliche Einstellung der Zeit verlangt, daß auch der Kirchenraum einem nüchternen Versammlungssaal gleicht. Die Predigt muß in deutscher Sprache gehalten werden, und jedes Wort soll gehört und verstanden werden.

Im Zeitalter der Gegenreformation beruht die herrschende Baugesinnung wieder auf einem gewandelten Andachtsbedürfnis und Raumgefühl. Deutlich wird das Streben spürbar, den Gläubigen den himmlischen Glanz und den Trost der Kirche strahlend und verheißend nahezubringen. Deshalb dehnt sich der Raum wieder, aber nicht mehr wie in der Gotik nur in die Höhe, sondern nach allen Seiten, und von allen Seiten strömt auch das Licht.

Wie sich aus dem veränderten Lebensgefühl von selbst die unterschiedliche Gestaltung des Kirchenraums ergab, wird auch die Sendung Christi, der Maria, der Apostel und Heiligen zu anderen Zeiten anders empfunden und dargestellt. In Skulpturen und Gemälden prägt sich gelassene Kraft anders aus als Demut, selbstbewußte Würde anders als verzückte Erregung. Der eine drückt seine Gemütsbewegung — Schmerz, Freude oder Andacht — mehr durch große Gebärde aus, beim anderen ist innere Ergriffenheit allein im Gesicht abzulesen. Die Ausdrucksweise muß so verschieden sein, weil die Empfindungsweise so anders ist — nicht die Empfindungstiefe! Der Schmerz wird beispielsweise zu verschiedenen Zeiten anders empfunden: Der eine fühlt in ihm mehr das Schicksalhafte, Trostlose und Unentrinnbare, der andere mehr das Gottgewollte, Erhabene, das ihn zu Einkehr und Gott führt. Solche Unterschiede sind entscheidend, weil sie in Malerei und Plastik den Ausdruck des Gesichts bestimmen, die Haltung des Kopfes, des Körpers und der Gliedmaßen bis zu den Händen. Auch diese können sehr verschieden sein, zart und derb in allen Abwandlungen, sehr empfindsam und grob zugreifend.

Solche Unterschiede und Nuancen zu erfühlen, sich so in Absicht und Ausdruckswillen der Künstler hineinzuversenken — das heißt Stilgefühl haben.

GEFÜHL FÜR STILUNTERSCHIEDE BEKOMMT MAN NUR DURCH VERGLEICHEN

Das den Menschen einer Epoche und der Auffassung eines Stils Gemeinsame, das, was die Menschen verschiedener Epochen voneinander trennt, erkennt man am besten, wenn man Kunstwerke verschiedener Zeiten nebeneinander betrachtet und miteinander vergleicht. Es ist notwendig, Kirche mit Kirche, Altar mit Altar, Porträt mit Porträt zu vergleichen (Gleichartiges und aus dem gleichen Gesichtswinkel), Werke der Baukunst, der Skulptur und der Malerei.

Dieser Weg des Vergleichens ist keinesfalls neu, er ist jedem Menschen auf allen Gebieten geläufig und wird in allen kunstgeschichtlichen Seminaren angewandt.

Die meisten Menschen haben „Blick" und sind sich oft nur gar nicht bewußt, was sie alles gesehen und aufgenommen haben. Sie können Modernes von Unmodernem ohne weiteres unterscheiden, allerdings ohne daß sie das zu begründen vermögen. Genauso sollte man sich bei den Werken der Kunst bewußt im Sehen üben, denn nicht nach feststehenden Gesetzen wie bei einem mathematischen Rechenexempel, nicht wissenschaftlich wird die Zugehörigkeit zu dieser oder jener Stilepoche bestimmt, wie die Kunstwerke ja auch nicht nach bestimmten Regeln geschaffen werden. Nur im Handwerklichen wird oft die Manier anderer Künstler, Faltenwurf oder Ornament nachgeahmt; deshalb muß derjenige auch Schiffbruch erleiden, der nach solchen technischen Merkmalen allein den Stil eines Werkes bestimmen will.

Will man sein Stilgefühl bilden, sollte man sich bei der Tätigkeit des Vergleichens zunächst nicht zu sehr in einzelne Kunstwerke oder Künstler vertiefen. Stilgefühl kann man sich nicht aneignen, wenn man sich von vornherein zu sehr in Einzelheiten verliert. Auf solchem Wege würde man wohl die Eigenart eines einzelnen Künstlers, sicher auch die Schönheit mancher Kunstwerke kennenlernen, aber das, was den Künstlern einer Epoche gemeinsam ist, das Verständnis für die Zusammenhänge und die Entwicklung der Kunst im großen wird damit kaum gefördert. Der Überblick geht leicht verloren, sobald man sich in zu viele Einzelheiten verliert: die „Detailkrankheit". Es ist falsch, hier den fast unmöglichen Versuch zu machen, von den technischen Einzelheiten einer einzelnen Kunstgattung zu der Gesamtschau der Stile vorzudringen, statt den umgekehrten Weg zu gehen.

Man kann überall mit dem Vergleich beginnen, wo sich eine Möglichkeit dazu bietet, und fängt auch da am besten mit dem Vergleich von Räumen an, die die gleiche Zweckbestimmung erfüllen. Der Unterschied wird jedem dabei am ehesten fühlbar sein, einen je stärkeren Eindruck er schon einmal von einem Raum empfangen hat.

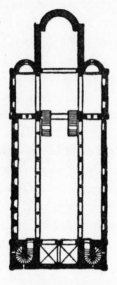

Romanisch
Quedlinburg Dom
Grundriß 11. Jh.

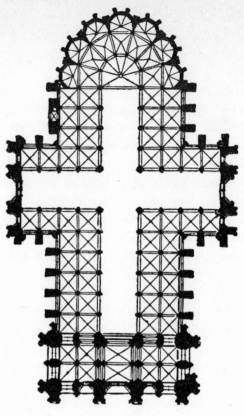

Gotisch Köln Dom 13. Jh.

Jeder Raum baut sich auf über dem Grundriß, der zuerst entworfen wurde. Auch bei diesen Grundrissen soll man nicht nach Einzelheiten suchen, denn alle romanischen Grundrisse sind untereinander verschieden ebenso wie alle gotischen. Wenn einzelne Grundrisse auch als Beispiele dienen, so gibt es doch nie einen „Normal"-Grundriß und kann es keinen geben, weil jeder einzelne Bau den örtlichen Verhältnissen und Bedürfnissen angepaßt werden mußte, genau wie jedes Gemälde und alle Statuen ihr individuelles Gesicht haben. Manche gotische Kirche steht auf romanischem Grundriß und ist später barock überkleidet worden. Bei mancher Kirche liegt die Krypta unter Vierung und Chor, bei mancher liegt sie nur unter dem Chor, bei einigen ist sie ganz fortgelassen. Auch die Ausbildung des Chors ist verschieden; oft waren ursprünglich drei Apsiden vorhanden, die später umgebaut wurden, der Chor ist in gotischer Zeit mit oder ohne Kapellenkranz ausgebaut worden; es hat aber Kapellenkränze auch schon in romanischer

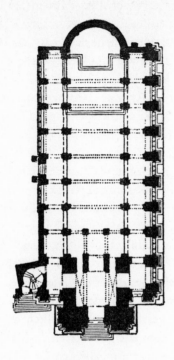

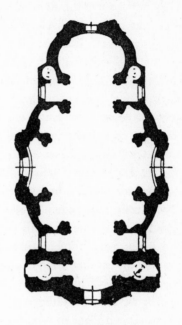

Renaissance
Würzburg Universitätskirche
Grundriß 1568

Barock
Karlsbad Magdalenenkirche
Grundriß 1728

Zeit gegeben. Im allgemeinen sind die gotischen Kirchen größer, wohl auch gestreckter als die romanischen, wie sie auch höher sind.

Man sollte die Grundrisse nicht für sich allein betrachten, sondern nur in Verbindung mit den Räumen, die sich über ihnen aufbauen. Nur dann wird sich wirklich Verständnis für die Gestaltung des Grundrisses ergeben. Deutlich ergibt sich dann die Absicht, die bei der Schaffung des Raumes auch für die Bildung des Grundrisses maßgebend gewesen ist. Was kraftvoll und wuchtig wie eine Burg mit der Erde verwachsen ist, muß auch mächtig, aber einfach im Grundriß sein; der himmelstrebende gotische Dom, der sich hoch emporwölbt, dessen Wände von hohen Fenstern durchbrochen sind, bedarf der Strebepfeiler und Stützen von außen. Bei der Renaissancekirche sollen viele Menschen in der Nähe des Altars und der Kanzel das Wort des Predigers hören können; so kam man zur Bildung der Emporen, die auch heute in der protestantischen Kirche dem Raum

27

das Gesicht geben. In der Zeit der Gegenreformation, des Barocks, hat die Kirche mit allen Mitteln einer mystischen Raumgestaltung wieder versucht, den Zauber des Überirdischen der Phantasie und der Seele der Andächtigen nahezubringen. So unterscheiden sich die Grundrisse wie die Räume, und es wird zugleich deutlich, daß man die Unterschiede der Stile nicht an einzelnen Merkmalen schematisch wie an einer Tabelle ablesen kann. Die Unterschiede kann nur verstehen und ganz begreifen, wer auch andere Dinge mitheranzieht und miteinander vergleicht. So gehören Anlage, Lebensgewohnheiten und Schicksal eines Volkes untrennbar zum Stil, sind im eigentlichen Sinne stilbildende Elemente, und nur so ist auch der Stilwandel an den mächtigen Domen des deutschen Mittelalters abzulesen. Der Grundstein wurde oft noch in der romanischen Epoche gelegt, manchmal sogar noch früher, so daß ein romanischer Grundriß und Chor und romanische Portale noch vom Wesen dieser Zeit Zeugnis ablegen. Das begonnene Werk wurde später mit gotischem Lang- und Querschiff, manchmal auch mit gotischem Chor fortgeführt; in der Renaissance wurden bedeutenden Toten in den Kirchen Grabdenkmäler gesetzt. In der Barockzeit entstanden wieder andere Anbauten und Einbauten, neue Altäre wurden geschaffen, die sich im Stil deutlich von dem Alten unterschieden. Deshalb sind außen und innen vollkommen stilreine Bauten nur selten anzutreffen. Die innere Ausstattung mußte oft ergänzt und verändert werden, um neuen Anforderungen zu genügen. Wandmalereien, die verblaßt oder durch Feuchtigkeit zerstört waren, mußten erneuert oder übermalt werden, Baufälliges wurde entfernt, um dem aus geänderten Bedürfnissen heraus Notwendigen Platz zu machen. So wurden Lettner entfernt, die den Chor von der Laienkirche trennten, als man einer aufgeklärteren Gemeinde den Blick zum Hochaltar freigeben wollte, Kanzeln mußten hinzugefügt werden, als der Predigt im Gottesdienst größere Bedeutung beigemessen wurde.

Alles entwickelt sich scheinbar stets für sich, letzten Endes aber immer nur im großen Zusammenhange. Alle bedeutenderen Ereignisse wirken sich bis in das allerkleinste und unscheinbarste Geschehen des täglichen Lebens aus, und jeder Mensch fühlt ihre Wirkung, allerdings oft unbewußt, in seinen Erlebnissen.

Wenn man mit dem Vergleichen beim Grundriß beginnt, dann zeigt dessen Gestaltung vom ersten Entwurf bis zur endgültigen Ausführung am besten den Weg, den der Baumeister ging, und wie er mehr und mehr sein Wesen und den Charakter der Zeit zum Ausdruck bringt.

1742 hat Balthasar Neumann den ersten Entwurf zu der Wallfahrtskirche Vierzehnheiligen angefertigt. Die Bauausführung lag aber in den Händen eines anderen, des Bauführers Krohne, dessen eigenmächtige Abweichungen vom ursprünglichen Grundriß eine nochmalige Hinzuziehung Neumanns notwendig machten. Der Chor war zu kurz geraten, so daß der von Anfang an projektierte Gnadenaltar der vierzehn Nothelfer

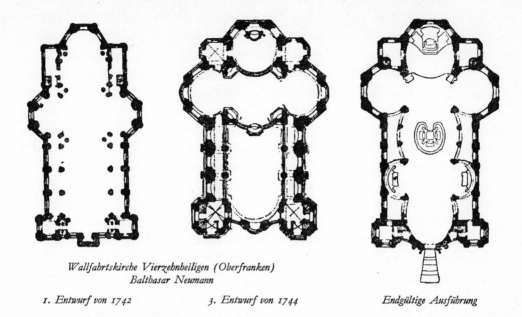

Wallfahrtskirche Vierzehnheiligen (Oberfranken)
Balthasar Neumann

1. Entwurf von 1742   3. Entwurf von 1744   Endgültige Ausführung

in der Vierung keine Aufstellung mehr finden konnte. So ergab es sich, daß Neumann nacheinander sechs Entwürfe angefertigt hat. Von einem zum anderen wurde das Schwellen und Drängen, das Irrationale, das sich auch schon im Grundriß ablesen läßt, stärker, bis schließlich der Raum über einem Grundriß so dasteht, daß wohl keine Kirche des Barocks deutlicher das Raumgefühl dieser Zeit zum Ausdruck bringt. Wenn der Grundriß von 1742 noch gerade Linien und Ecken zeigt, so wird, obwohl an den Fundamenten nicht mehr viel geändert wurde, die Raumgestaltung immer barocker. Ebenso wird jedes andere Kunstwerk, jede Skulptur und jedes Gemälde, je mehr es seiner Vollendung entgegengeht, fortschreitend immer eindrucksvoller das Wesen des Künstlers und seiner Zeit spiegeln. Bewußt und unbewußt wirken Anregungen und Einflüsse der Außenwelt mit. So prägt sich dem Werk zugleich der Stil des Künstlers, des Volkes und seiner Zeit auf.

Wer vergleichend die Räume verschiedener Zeiten betrachtet, schärft seinen Blick dafür, was zusammengehört, und fühlt bald, was in solche Räume hineinpaßt und fremd in ihnen ist. Ohne formale Erklärung erkennt man, ob Dinge aus verschiedener Gedankenwelt zusammengefügt sind, denn die gleichen Unterschiede, die Grundriß und Raumgestaltung voneinander trennen, wenn sie aus verschiedener Weltanschauung, aus verschiedenen Stilen geschaffen wurden, unterscheiden Skulpturen und Gemälde, Musik und alle Lebensäußerungen eines Volkes in den verschiedenen Epochen.

So kann man die Zugehörigkeit eines Kunstwerks zu dieser oder jener Stilepoche am besten erkennen, wenn man sich vorstellt, ob es in diesen oder jenen Raum hineinpaßt. Man sollte deshalb auch Skulpturen zunächst nicht für sich allein, sondern nur in Verbindung mit der Architektur betrachten. Um die Zugehörigkeit so mancher Figur, vor allem aus Übergangszeiten von einer Stilepoche zur anderen, ist der Meinungsstreit nie erloschen. Der eine rechnet ein Kunstwerk schon zur Gotik, während der andere es noch als romanisch bezeichnet. Niemals kann solch ein Streit durch wissenschaftliche Begründung allein entschieden werden, denn alle nachweisbare Beeinflussung, die sich in technischen Einzelheiten äußert, entscheidet nicht über den Wesenskern. Ob eine Figur aus romanischer oder gotischer Weltanschauung geschaffen wurde, entscheidet nur das Gefühl. So wird die Uta des Naumburger Doms vielfach mit eingehender Begründung schon zur Gotik gerechnet; andere wollen in ihr die typische Verkörperung der Kriemhild aus dem Nibelungenlied sehen. Häufig ist betont worden, daß nur der romanische, nie der gotische Mensch seine Frauengestalten so gesehen und dargestellt hat — in ihrer aufrechten, vornehmen Haltung bei aller Zartheit ganz Königin und ganz Frau. Derselbe Streit geht um die Gestalt Ekkehards, der wehrhaft neben der schönen Uta steht. Keine Figur, die die Gotik geschaffen, schaute so männlich fest und doch so gelassen drein. Der wuchtige Ritter paßt nicht in den gotischen Kirchenraum, wo er durch seinen dröhnenden Schritt Unwillen unter der Gemeinde hervorrufen würde. — Alles das ist Gefühlssache. So empfinden wir mit Recht die berühmten Figuren der Ecclesia am Straßburger Münster und am Bamberger Dom als deutsch, so sehen wir in der Elisabeth und der Maria des Bamberger Doms rein deutsche Frauen, mögen die Vorbilder dieser Skulpturen in Reims und Chartres ihnen in noch so vielen Einzelheiten ähnlich sein.

Wie Dürer in Italien, von italienischen Meistern beeinflußt, manches von diesen angenommen hat, so hat er doch rein deutsche Werke geschaffen. Auch das vielbewunderte „Rosenkranzfest" im Museum in Prag, das er in Venedig gemalt hat, ist ein deutsches Bild, wenn die Beeinflussung auch leicht erkennbar sein mag.

So läßt sich auch die Frage, zu welcher Stilepoche man diesen oder jenen Künstler rechnen will, nie endgültig beweisen, sondern nur fühlen, wenn man seinen Blick schult durch Vergleichen und immer wieder von neuem angestellte Vergleiche. Tilman Riemenschneider hat im Ausgang der Gotik noch rein gotische Werke geschaffen, während sein Zeitgenosse Veit Stoß oft für die Gotik, ebensooft aber auch für die Renaissance in Anspruch genommen wird und Peter Vischer trotz vieler gotischen Einzelheiten schon als ein typischer Vertreter der neuen Renaissance angesehen wird.

1488 hat er, noch bevor er Meister war, den ersten Entwurf zum Sebaldusgrab in Nürnberg geschaffen, der sich heute in der Akademie der bildenden Künste in Wien befindet. Rein gotisch sind die Formen wie bei dem berühmten Sakramentshäuschen des

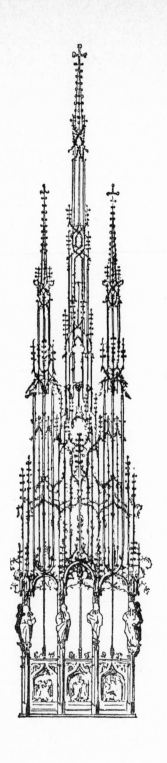

Adam Kraft in der Lorenzkirche in Nürnberg, wie bei den Sakramentshäusern in Ulm, Lippstadt und Lübeck, wie beim Schönen Brunnen in Nürnberg, hoch zum Himmel ragend, zierlich gegliedert. Aber als Peter Vischer an die Ausführung ging, schnitt er den oberen Teil ab und schuf, bei allen Anklängen an seinen ersten gotischen Entwurf, das Sebaldusgrab, wie es heute steht, auf den ersten Eindruck im Architektonischen immer noch in gotischen Formen, vor allem, wenn man das Kunstwerk mehr aus der Ferne auf sich wirken läßt. Tritt man jedoch näher, wird überall schon im Aufbau, vor allem aber in den Figuren der Apostel, den Lichthaltern usw. die Kunst der Reformationszeit fühlbar. Deutlicher kann sich der Bruch mit überkommenem Stilgeschmack kaum zeigen wie zwischen diesem Entwurf und der Ausführung.

So kann jeder vergleichend seinen Blick schulen, und er wird Erfolg haben, wenn er gründlich vorgeht und immer wieder zurückblättert, um von neuem zu vergleichen und diese Vergleiche ausdehnt auf andere Beispiele, die sich überall bei Museumsbesuchen und Reisen bieten. Überläßt man die Tätigkeit des Vergleichens aber nur anderen und begnügt sich mit dem Ergebnis der Forschungen, die andere angestellt haben, dann kann sich das Gefühl für Stile

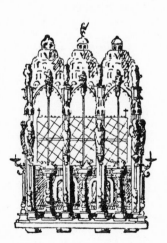

Das Sebaldusgrab in Nürnberg
Peter Vischer
Links der gotische Entwurf von 1488
Rechts die Ausführung 1508-1519

31

nicht bilden. Alles Wissen muß so lange Stückwerk bleiben, bis man sich dazu ent-
schließt, den Weg des Führenden nachzugehen. Aller Glaube an die Autorität eines
Lehrers, jedes ehrfurchtsvolle Vertrauen auf sein imponierendes Wissen kann nicht die
klare Erkenntnis vermitteln wie die Tätigkeit des Vergleichens, die man selbst ausübt.
Mancher redet sich ein, er hätte begriffen, und glaubt schließlich selbst daran, aber solange
er nicht wirklich verglichen hat, hat er noch nicht völlig erfaßt.

„Was Du ererbt von Deinen Vätern hast,
Erwirb es, um es zu besitzen!"

Albrecht Dürer

Durch Vergleichen, nur durch Vergleichen

kann man Zusammenhänge und Unterschiede feststellen,

die großen Epochen der Kunstgeschichte

als solche erkennen

Romanisch   um 1100
Burg CHILLON
      am Genfer See

Renaissance   1605-1614
Schloß ASCHAFFENBURG am Main, Unterfranken
Georg Ridinger

Gotisch   um 1350
Burg ELTZ an der Mosel

Barock   1733-1737
Schloß WERNECK, Unterfranken
Balthasar Neumann

Romanisch   1175
GENT, Graslei 11, Romanisches Haus

Gotisch   um 1350
HILDESHEIM, Templerhaus
Erker in der Renaissance 1591 angebaut

Renaissance   1605
NÜRNBERG, Pellerhaus
Jacob Wolff der Ältere

Barock   verändert 1754-1757
MÜNSTER, Erbdrostehof
J. K. Schlaun

37

Romanisch   um 1200   Gotisch   1335
GELNHAUSEN, Altes Rathaus   MÜNSTER, Rathaus
1881 restauriert

Renaissance   1550-1612
PADERBORN, Rathaus

Barock   1754-1768
TRIER, Erzbischöfliches Palais
Joh. Seitz

Gotisch   1376-1387
BRÜGGE, Rathaus

Ursprünglich gotisch
1405-1410
BREMEN, Rathaus

1609-1614 Arkaden,
Giebel und Dach-
balustraden in Renais-
sance umgebaut
Lüder von Bentheim

Renaissance 1561-1564
ANTWERPEN, Rathaus
Cornelis Floris

Italienische Renaissance 1489-1500
FLORENZ,
Palazzo Strozzi
Benedetto da Majano

Romanisch   um 1200
KÖLN, Hahnentor
1881 restauriert

Gotisch   um 1390
PRAG, Altstädter Brückenturm
Peter Parler

Renaissance   1568
DANZIG, Grünes Tor
1880 restauriert

Barock   1744-1756
BAMBERG, Neues Rathaus
Ursprünglich gotischer Brückenturm

Romanisch   1210-1230
SCHWÄBISCH-GMÜND, Johanniskirche
1869 restauriert

Gotisch   1355
NÜRNBERG, Frauenkirche
1506 und 1835 restauriert

44

Renaissance   1583-1588
MÜNCHEN, St.-Michael-Kirche

Barock   1716
WÜRZBURG, Neumünsterkirche
Fassade von Joseph Greising

45

Romanisch   1182
GEBWEILER im Elsaß, St.-Leodegar-Kirche
1851 restauriert

Gotisch   1270-1360
MARBURG, Elisabethkirche
Baubeginn schon 1235, Westfassade und Türme später

46

Renaissance   1611-1613
BÜCKEBURG, Lutherische Kirche

Barock   1720-1730
GRÜSSAU in Schlesien, Klosterkirche
Unbekannter Meister

47

Den Größenverhältnissen angenähert, nicht maßstabgerecht

Romanisch   um 1150
MAURSMÜNSTER im Elsaß, ehem. Benediktinerkirche
Ausschließliche Betonung der waagerechten Linien

Frühgotisch   1200-1235
PARIS, Notre-Dame-Kirche (der erste gotische Bau)
Noch starke Betonung der waagerechten Linien

Gotisch 1276-1365
STRASSBURG, Münster, Turm 1439 vollendet
Nur noch schwache Betonung der waagerechten Linien

Spätgotisch 1350 begonnen
KÖLN, Dom, 1842—1880 vollendet
Ausschließliche Betonung der senkrechten Linien

WIEN, Stefansdom   Baubeginn 1339
Einstellung der Bauarbeiten um 1450
Nordturm, bis heute unvollendet

ULM, Münster   Baubeginn 1377
Einstellung der Bauarbeiten um 1500
Photographie um 1875

KÖLN, Dom   Baubeginn 1248
Nach einem Stich aus dem 18. Jahrhundert
Einstellung der Bauarbeiten um 1500 (1842-1880 vollendet)

Höhe der Türme: —Ulm ———————161 m ———→

—Köln ———————156 m ——

—Straßburg ———143 m ——

←— Wien ———————137 m ——

—Freiburg ———115 m ——

Regensburg—→ ←————— 105 m

WIEN, Stefansdom
Südturm, 1450 vollendet,
1861-1864 zur Hälfte abgetragen
und neuerrichtet

REGENSBURG
1859-1864 vollendet

ULM, Münster   1844-1890 vollendet

REGENSBURG, Dom, Baubeginn 1275
Nach einem Stich aus dem 17. Jahrhundert
Einstellung der Bauarbeiten um 1500

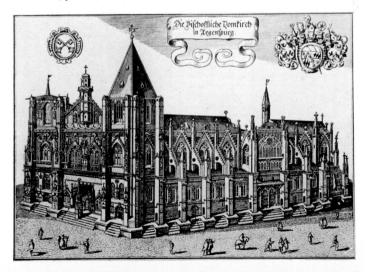

Gotisch
REGENSBURG, Dom St. Peter, Choransicht

1275-1313

Romanisch
KÖLN, St. Gereon, Choransicht

nach 1150

53

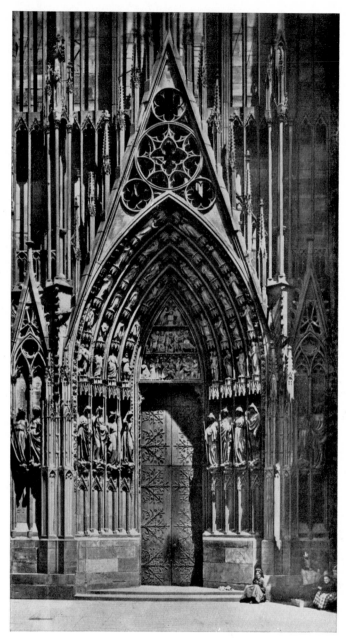

Romanisch   um 1200
BAMBERG, DOM, Fürstenportal an der Nordseite

Gotisch   1276-1300
STRASSBURG, Münster, nördliches Westportal

54

Renaissance   1528
BRESLAU, Portal des Staatsarchivs, Tiergartenstraße 13
Früher Portal der „Goldenen Krone"

Barock   1770
MAINZ, Augustinerkloster
Joh. Seb. Pfaff

Romanisch um 1230
STRASSBURG, Münster
Südportal

Die Statuen Ecclesia und
Synagoge, rechts und links
vom Portal, 1240-1250
Die sitzende Mittelfigur
Salomo neu

Gotisch 1380-1410
ULM, Münster
Hauptportal

Renaissance   1620
FREIBURG, Münster
Vorhalle vor dem
romanischen Querschiff

Barock   1728-1740
BRESLAU, Universität
Portal vor dem Treppenhaus

57

Den Größenverhältnissen angenähert, nicht maßstabgerecht

Romanisch   Baubeginn 1031
HILDESHEIM, St. Michael
Flache Holzdecke mit berühmter Bemalung
(doppelt so hoch wie breit)

Spätromanisch   1118-1239
MAINZ, Dom
Gewölbtes Langschiff, Breite 13,5 m
(etwa doppelt so hoch wie breit)

Gotisch   nach 1375   Hochgotisch   1388

MÜNSTER i. W., Lambertikirche   KÖLN, Dom

(etwa doppelt so hoch wie breit)   Langschiff, Breite 14 m, Höhe 44 m

                                                            (dreimal so hoch wie breit)

Der romanische Kirchenraum
SCHWÄBISCH-GMÜND, Johanniskirche

1210-1230

Das unterschiedliche Lebensgefühl der Epochen prägt sich in der Stimmung der Kirchenräume noch stärker aus als im Technischen. Der romanische Raum ist schlicht, aber feierlich, mehr für Männer geschaffen als für Frauen, mit einer

Der gotische Kirchenraum   1377-1470
WÜRZBURG, Marienkapelle

klaren, ganz durchsichtigen Atmosphäre. Der gotische Raum mystisch, von fast lebendigem Zauber erfüllt. Das Tages-
licht bricht sich in gemalten Fenstern und flimmert, bunt in allen Farben spielend, auf Altar, Kanzel und Figuren.   61

Der Renaissance-Kirchenraum   1586-1591
WÜRZBURG, Universitätskirche

Nüchtern erscheint der protestantische Kirchenraum der Reformationszeit mit seinen Emporen, die der Gemeinde
Platz in nächster Nähe von Altar und Kanzel ermöglichen sollen, um jedes Wort der Predigt zu verstehen.

Der Barock-Kirchenraum   1743-1771
VIERZEHNHEILIGEN, Oberfranken, Wallfahrtskirche
Balthasar Neumann

Lebendig und bewegt und voll Licht bringt der Kirchenraum der Barockzeit Lebensfreude und Lebensbejahung zum
Ausdruck. Nach allen Seiten schwillt und dehnt sich der prunkvolle Raum, Glanz und Ruhm der Kirche kündend.   63

In der romanischen Kirche
MAULBRONN, Württemberg, Klosterkirche

1146-1178

64

In der gotischen Kirche
REGENSBURG, Dom St. Peter

1275-1313

5 Müseler, Deutsche Kunst

In der Renaissancekirche
MÜNCHEN, St.-Michaels-Kirche

1283-1588

66

In der Barockkirche   1733
MÜNCHEN, St.-Johann-Nepomuk-Kirche, Sendlinger Straße
Gebrüder Asam

5*

Romanisch   um 1230
WECHSELBURG in Sachsen, Schloßkirche

Gotisch   1485-1487
STRASSBURG, Münster
Hans Hammerer

68

Renaissance 1570
TRIER, Dom
H. Ruprich Hoffmann

Barock 1712-1722
DRESDEN, Hofkirche
Permoser

69

Gotisch   um 1350
MAULBRONN, Württemberg, Brunnenkapelle im Kreuzgang

Romanisch   um 1050
GOSLAR, Doppelkapelle St. Ulrich

70

Barock
BRESLAU, Hochbergkapelle an der Vinzenzkirche
Ch. Hackner

1518 vollendet

Renaissance
AUGSBURG, Fuggerkapelle an der St.-Annen-Kirche
Ausstattung von Adolf Daucher

1477

Gotisch
ST. WOLFGANG, Salzkammergut
Michael Pacher

1180

Romanisch
WECHSELBURG in Sachsen, Schloßkirche
Ursprünglich Lettner zwischen Langschiff und Chor

Barock
DIESSEN am Ammersee, Oberbayern
Cuvilliés, Holzstatuen von Joachim Dietrich

Renaissance
PENIG in Sachsen, Liebfrauenkirche
Christof Walter

Altar barock 1697

Chor gotisch 1349-1370
ERFURT, Dom

Altar barock 1700

Chor romanisch 1196
TRIER, Dom
Vor der letzten Restaurierung

74

Ursprünglich gotische Kirche
WÜRZBURG, Dominikanerkirche
1741 durch Balthasar Neumann unter Beibehaltung des gotischen
Raumbildes barock umgebaut. Altäre barock

1274

Ursprünglich romanische Kirche
OBERZELL bei Würzburg, Klosterkirche
1692–1720 barock verputzt. Altar und Kanzel barock

1128

Gotisches Seitenschiff
MÜNCHEN, Frauenkirche
Jörg Ganghofer aus Moosburg

1468-1488

Ursprünglich gotisches Seitenschiff   um 1450
MÜNCHEN, Heilige-Geist-Kirche
1724 barock überkleidet von Schmidtgartner. — Auch die Fenster wurden geteilt

Romanisch   um 1200
MAGDEBURG, Kreuzgang im Kloster Unser Lieben Frauen

Frühgotisch
TRIER, Domkreuzgang

1212-1242
Strebepfeiler erst nach 1250

79

Romanisch   1129
QUEDLINBURG, Stiftskirche St. Servatius, Chor 1321 gotisch umgebaut, 1862-1882 restauriert
Unter der erhöhten Vierung (der Stelle, wo Langschiff und Querschiff sich kreuzen), als dem Kernpunkt der romanischen Kirche,
liegt die Gruftkapelle (Krypta). — Der Eingang zur Krypta zwischen den beiden Treppen

80

Romanisch
HALBERSTADT, Dom, Gruftgewölbe („alter Kapitelsaal") aus der Zeit vor der Erbauung des heutigen Doms
Die Grabplatten an der Wand wurden später aufgestellt

Gotisch   um 1280
MARBURG, Elisabethkirche — „Landgrafenchor" — Gräber der hessischen Fürsten des 13.-16. Jahrhunderts
(Krypten wurden in gotischer Zeit nicht mehr gebaut)

Renaissance   1534-1539
BRESLAU, Elisabethkirche, Grabdenkmal Heinr. Rybisch
Michael Fidler der Ältere

Barock   1719-1726
BRESLAU, Ceslauskapelle an der St.-Adalbert-Kirche

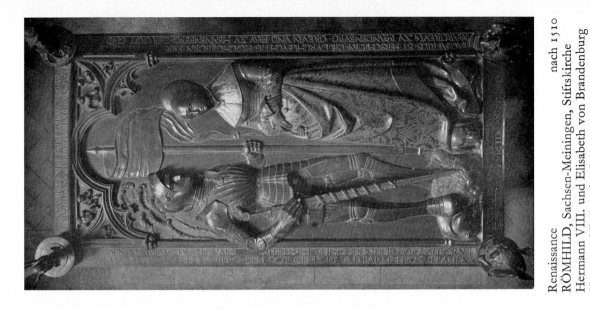

Renaissance   nach 1510
RÖMHILD, Sachsen-Meiningen, Stiftskirche
Hermann VIII. und Elisabeth von Brandenburg
Hermann Vischer der Jüngere

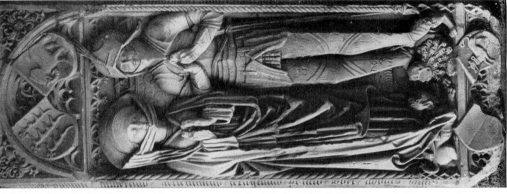

Gotisch   um 1480
BLAUBEUREN bei Ulm
Graf Ulrich von Helfenstein
und seine Mutter, Herzogin von
Württemberg

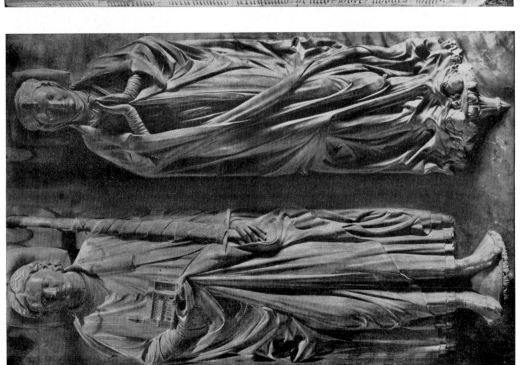

Romanisch   um 1230
BRAUNSCHWEIG, Dom
Grabstein Heinrichs des Löwen und Herzogin Mathilde

Barock   1764
MAINZ, Dom, Kurfürst von Ostheim
Heinrich Jung

Renaissance   1516
HALBERSTADT, Dom,
B. v. Neuenstädt   Peter Vischer

Gotisch   1351
BAMBERG, Dom
Bischof Friedrich von Hohenlohe

Romanisch   um 1200
MAGDEBURG, Dom
Grabstein eines Bischofs

1697
Barock
KÖNIGSBERG Pr.
Kurfürst Friedrich III.
Schlüter

Renaissance   1513
INNSBRUCK, Hofkirche
König Artus
Peter Vischer

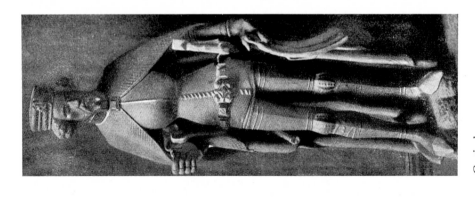

Gotisch   um 1390
BERLIN, Deutsches Museum
König Artus
Nürnberger Meister

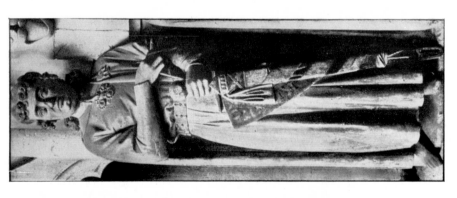

Romanisch   um 1250
NAUMBURG,   Eckehard
Dom, Westchor

Barock um 1757
NEUSTIFT, Bayern, Klosterkirche
Apostel Paulus am Hochaltar
Ignaz Günther

Renaissance 1508-1519
NÜRNBERG, St.-Sebald-Kirche
Apostel Paulus am Sebaldusgrab
Peter Vischer

Gotisch um 1320
KÖLN, Dom
Apostel Matthias a. Chorpfeiler

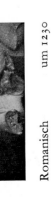

Romanisch um 1230
BAMBERG, Dom
Apostel Petrus, Adamspforte

87

Barock　　　　　　　um 1720
BERLIN, Sammlung M.
Würzburger Meister

Renaissance　　　　　1510
NÜRNBERG, German. Mus.
Madonna v. Hause d. Veit Stoß

Gotisch　　　　　　　um 1330
KÖLN, Dom
sogenannte „Mailänder Madonna"

Romanisch　　　　　　um 1250
PADERBORN, Dom
Madonna am Paradiesportal

Barock   um 1740
AIBLING, Bayern, Pfarrkirche
Maria von einer Kreuzigungsgruppe

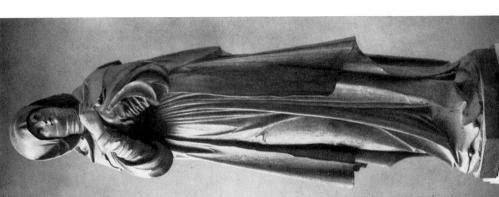

Renaissance   um 1500
NÜRNBERG, German. Museum
Madonna

Gotisch   um 1330
STUTTGART, Altertümerslg.
Maria von einer Kreuzigungsgr.
Schwäbisch. Meister (Bodensee)

Romanisch   1230–1240
FREIBERG Sa., Dom
Maria v. d. Kreuzigungsgruppe

89

Barock um 1750
MÜNCHEN, Nationalmuseum
St. Katharina aus der Wengenkirche in
Ulm

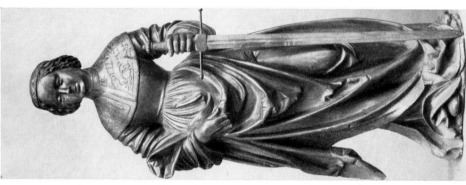

Renaissance 1520
BERLIN, Deutsches Museum
Schwäbisch

Gotisch um 1330
NÜRNBERG,
St.-Sebald-Kirche
St. Katharina

Romanisch um 1230
BAMBERG, Dom
Ecclesia am Fürstenportal

Barock
BERLIN, Deutsches Museum
Maria Immaculata
Josef Anton Feichtmayr

um 1760

Renaissance
NÜRNBERG, German. Museum
Veit-Stoß-Schule

1520

Gotisch
KÖLN, Dom
Maria an einem Pfeiler des
Chors

um 1320

Romanisch
NAUMBURG, Dom, Westchor
Uta

um 1250

91

Gotisch   um 1490
GÖRLITZ, Oberlausitzer Gedenkhalle
Christus auf der Rast

Romanisch   um 1220–1230
MÜNCHEN, Bayrisches Nationalmuseum
Thronender Christus

Unterschiedlich wird die Sendung des Erlösers in den beiden Epochen aufgefaßt, ganz aus dem Lebensgefühl der Zeit heraus und entsprechend der geistigen Haltung des romanischen und des gotischen Menschen in Deutschland. Vergleiche auch die Seiten 98–101.

Barock
BERLIN, Sammlung M.
Gegend um Würzburg

um 1720

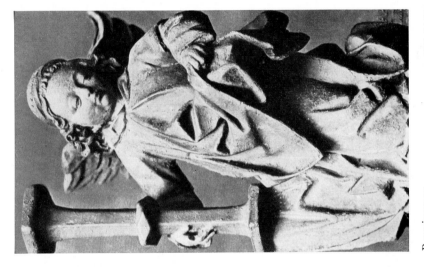

Renaissance
BERLIN, Deutsches Museum
Bayrischer Meister

um 1500

Gotisch
ROTHENBURG o. d. Tauber, Blutaltar
Tilman Riemenschneider

um 1499

Romanisch   um 1230   Gotisch   um 1330
HALBERSTADT, Liebfrauenkirche   KÖLN, Schnütgenmuseum
Madonna

Die ritterliche romanische Zeit stellt selbst die Madonna stolz, in aufrechter Haltung als Himmelskönigin, dar; die
Gotik sieht die Madonna als Jungfrau, ganz zart und so lieblich, wie der Künstler sie nur darzustellen vermag;

94

Renaissance   um 1515
MÜNCHEN, Bayrisches Nationalmuseum
Hans Leinberger

Barock   1621
UNTERHAUSEN in Bayern, Pfarrkirche
Johann Degler

die bürgerliche Epoche der Reformationszeit zeigt die Muttergottes ganz realistisch mütterlich als gute
Bürgersfrau, fast Matrone; das Barock liebt Bewegung und Pomp, großartig wie bei den Bauten der Epoche.

Gotisch   um 1400
BERLIN, Deutsches Museum
Vespergruppe aus Baden bei Wien

Das Vesperbild (italienisch: Pietà) ist zuerst in Deutschland im 14. Jahrhundert geschaffen worden, von
erschütternder Wirkung, von großer Gefühlstiefe und Verinnerlichung, wie es dem Lebensgefühl der
gotischen Epoche entsprach, dieser Zeit tiefster Not und politischer Zerrissenheit. Später ist dieses
Gruppenbild im Kunstschaffen vieler anderer Völker nachgeahmt worden. Die Darstellungsweise ist aber

Renaissance   um 1520
BERLIN, Deutsches Museum
Bayrischer Meister, Gegend um Tegernsee

Barock   1762-1764
WEYARN in Bayern, Pfarrkirche
Ignaz Günther

in jedem Lande verschieden und auch unterschiedlich in jeder Epoche. In der Gotik ist der Körper Christi meist ganz realistisch in der Totenstarre, die Haltung in späterer Zeit immer gelöster; Maria in der Gotik als Jungfrau — viel zu jung für den erwachsenen Sohn; in der Renaissance gemäßigter, gehaltener, zuweilen gänzlich ungerührt; im Barock in höchster Erregung.

Romanisch   um 1230   Gotisch   um 1400
HOYER   BRESLAU, Diözesanmuseum

Die Auffassung vom Wesen des Opfertodes Christi am Kreuz ist in jeder der vier Epochen eine andere und läßt die Verschiedenheit des Lebensgefühls mit aller Deutlichkeit in Erscheinung treten. In der Romanik wird Christus als Sieger in straffer Haltung dargestellt mit einer Königskrone auf dem Haupt, das hoch aufgerichtet über den Schultern emporragt. Im stärksten Gegensatz dazu zeigt die völlig zerbrochene Haltung des gotischen Christus die höchste, kaum noch

Renaissance   nicht lange vor 1500   Barock   um 1700
HEILBRONN   MAINZ, Altertumsmuseum
Veit Stoß   Elfenbein

erträgliche Steigerung des Leides. Der ganze Körper krümmt sich vor Schmerz. In der Reformationszeit scheint der Gekreuzigte körperliche Schmerzen kaum zu fühlen. Die Darstellung ist wohl eindrucksvoll, aber viel ruhiger und gemäßigt. Dem Lebensgefühl des Barock entspricht wieder ein kräftigerer Akzent und eine stärkere Betonung des Leides, eine fast ekstatisch bewegte Erregung, die durch den ganzen Körper hindurchgeht und in dem zurückgeworfenen Kopf ausklingt.

Romanisch   um 1200   Gotisch   um 1360
BERLIN, Deutsches Museum   KÖLN, St. Georg

Was in der Haltung der ganzen Figur des Christus am Kreuz Seite 98-99 zum Ausdruck kommt, drückt sich physiogno-
misch vielleicht noch eindrucksvoller aus. Der romanische Christus mit der Königskrone besonders edel und durch-
geistigt, eine Ausdrucksstudie von hoher Vollendung und von tiefster Wirkung. Diese Art der Darstellung ist wenig
bekannt, weil an vielen Kruzifixen, die aus dieser Zeit erhalten sind, die Königskrone später entfernt und durch ein Dornen-
geflecht ersetzt worden ist. Zwischen dem gotischen Christus und dem der Barockzeit scheint auf den ersten Blick eine

| Renaissance | um 1530 | Barock | 1630 |

Renaissance   um 1530
SCHWAZ am Inn, Franziskanerkirche
Loy Hering

Barock   1630
KÖLN, Schnütgenmuseum
Gerhard Gröninger

gewisse Übereinstimmung zu bestehen, vor allem hinsichtlich der starken Betonung des Schmerzes, und doch ist die Auffassung sehr unterschiedlich. In der Gotik ist das Haupt tief auf die Brust herabgesunken: tiefste Verzagtheit und völlige
Hoffnungslosigkeit; im Barock wird das Stöhnen zum Schrei, und doch ist das Bild des Leides hier ganz anders, weil
es fast verklärt erscheint, wie in Vorahnung der Erlösung. In der Renaissancezeit ein tiefer Ernst ohne die überstarke
Betonung des Schmerzes, der allein in den Augen liegt und in dem wehen Zug um den Mund.

Romanisch   1230
WECHSELBURG in Sachsen
Maria aus der Kreuzigungsgruppe

Gotisch   1320
FREIBURG im Breisgau
Maria

Die „trauernde Maria unter dem Kreuz" der Kaiserzeit ungebrochen und aufrecht, fast trotzig,
wie Gudrun; die Muttergottes der Gotik lieblich und voll Demut; die Maria der Reformationszeit

Renaissance   um 1508
NÜRNBERG, Germanisches Museum, Maria aus Heilsbronn
Veit Stoß

Barock   um 1760
NÜRNBERG, Germanisches Museum
Ignaz-Günther-Schule

ganz bürgerlich in der Auffassung — das Mädchen aus dem Volk —, und im Barock wieder eine völlig andere Auffassung, scharf kontrastierend in wild bewegter und erregter Pose.

Romanisch   um 1230   Gotisch   1275-1290
BAMBERG, Dom, Adamspforte   STRASSBURG, Münster
Apostel Petrus   Prophetenkopf am Mittelportal, linkes Gewände

Der männlich stille Ernst und die gelassene Ruhe des Petrus der romanischen Zeit kontrastieren gegen den gotischen
Kopf, der, ganz durchglüht von der Idee, jenem an männlicher Stärke nicht nachsteht, dessen Denken sich aber in ganz
anderer Richtung bewegt. Der Apostel der Reformationszeit aufrecht und vom Ernst des Lebens durchdrungen, aber

Renaissance um 1520
NÜRNBERG, Germanisches Nationalmuseum
Apostel Andreas

Barock um 1720
FRANKFURT a. M., Liebighaus, Apostel Paulus
F. M. Hiernle

abgeklärt neben dem Gotiker und viel ruhiger als der Paulus der Barockzeit. Die unterschiedliche Auffassung kommt in allen Einzelheiten, in Auge und Stirn, in Mund und Bart gleichmäßig zum Ausdruck. Es ist der gleiche Unterschied, der ebenso stark auch bei den ganzen Figuren auf Seite 87 in Erscheinung tritt.

Romanisch   um 1250
PADERBORN, Dom
Madonna vom Paradiesportal

Gotisch   um 1460
KÖLN, Schnütgenmuseum
Madonna in der Mantelfülle

Die Madonna der Kaiserzeit aufrecht, unnahbar, ganz Himmelskönigin, neben der zarten Muttergottes der Gotik, die mit dem Kinde zu spielen scheint. Die Madonna der Renaissance ganz die Bürgersfrau — die Schönheit dieser Skulptur

Renaissance   um 1520   Barock   um 1750
MÜNCHEN, Bayrisches Nationalmuseum   BERLIN, Deutsches Museum
Maria in der Hoffnung   Maria von einer Verkündigung

liegt nicht im Glanz der äußeren Erscheinung, vielmehr allein in der überzeugenden Charakteristik des Mütterlichen. Ganz anders wieder die Maria aus dem Barock, die, ganz ergriffen und durchglüht, die Augen niederschlägt.

Renaissance   um 1530

MÜNCHEN, Nationalmuseum, Pfalzgraf Friedrich II. der Weise aus Schloß Neuburg a. d. Donau
Friedrich Hagenauer aus Augsburg

Der Fürst im Gewande des Bürgers, abgeklärt und ruhig, besonnen neben dem Tatmenschen, dessen herrisches Wesen sich

Barock   1704
Schloß HOMBURG, Prinz Friedrich von Hessen-Homburg
Andreas Schlüter

auch in Haltung und Gewand ausdrückt; Kleists Friedrich von Homburg, Mitkämpfer des Großen Kurfürsten bei Fehrbellin.

MAGDEBURG, Dom, um 1225
Apostel Paulus, im Chor

BERLIN, Deutsches Museum   um 1170
Empore aus Gröningen, Christus als Weltrichter

Obere Reihe: Romanische Skulpturen, bei denen
Untere Reihe: Romanische Skulpturen der Spätzeit,

FREIBERG, Dom   um 1230
Prophet a. d. Goldenen Pforte

BAMBERG, Dom, Tympanon des Fürstenportals   um 1230
Mittelausschnitt, Christus als Weltrichter

KÖLN, Schnütgenmuseum   PADERBORN, Diözesanmuseum, um 1050   KÖLN   um 1200
Tiroler Meister   um 1220   Madonna des Bischofs Imad   St. Maria im Kapitol

byzantinischer Einfluß deutlich erkennbar ist.
die den byzantinischen Einfluß überwunden haben.

WECHSELBURG, 1230   FREIBERG in Sachsen, Dom, um 1230   RIDDAGSHAUSEN
Maria   Tympanon d. Goldenen Pforte, Ausschn.   Madonna   um 1270   111

Barock   um 1742
AMORBACH, Unterfranken
Joseph Keilwerth

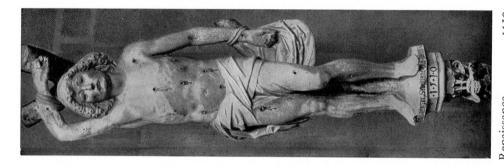

Renaissance   1510
HALBERSTADT, Dom
Unbekannter Meister

Gotisch   um 1470
BERLIN, Deutsches Museum
Ulmisch

112

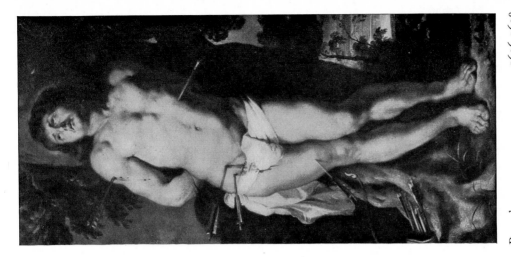

Barock
BERLIN, Kaiser-Friedrich-Museum
Peter Paul Rubens
1606-1608

Renaissance   um 1510
OBER ST. VEIT bei Wien
Schäuffelin

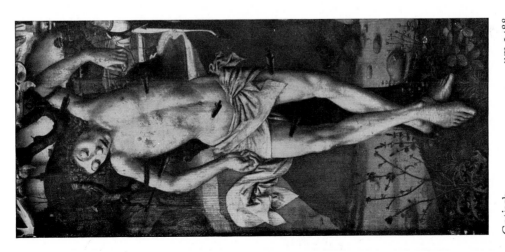

Gotisch   um 1488
NÜRNBERG, Germanisches Museum
Wolgemut, Peringsdorfer Altar

Gotisch   1473
KOLMAR, Martinskirche, Maria im Rosenhag
Martin Schongauer

Gotisch   1442-1444
KÖLN, Wallraf-Richartz-Museum, Maria
Stefan Lochner

Renaissance   um 1520
BERLIN, Deutsches Museum
Quinten Massys

Barock   um 1625
MÜNCHEN, Alte Pinakothek
Antonis van Dyck

Gotisch   um 1460
WORMS, Privatbesitz, Madonna im Engelkranz
Meister der Glorifikation Mariae

Barock
PARIS, Louvre
Peter Paul Rubens

Gotisch   1460
BERLIN, Deutsches Museum, Geburt Christi, Ausschnitt
Roger v. d. Weyden

Renaissance   1512
WIEN, Kunsthistorisches Museum, Madonna, Ausschnitt
Albrecht Dürer

Italienische Renaissance   1503
BERLIN, Kaiser-Friedrich-Museum, Madonna Terranuova
Raffael Santi — Ausschnitt

Barock   1620
BRÜSSEL, Museum, Madonna, Ausschnitt
Peter Paul Rubens

Renaissance   1511
BERLIN, Deutsches Museum, Anbetung der Könige
Hans von Kulmbach

Barock   1624
ANTWERPEN, Museum, Anbetung der Könige
Peter Paul Rubens

um 1470

Gotisch
BUDAPEST, Museum
Niederrheinischer Meister

1200–1250

Romanisch
BERLIN, Deutsches Museum, Altaraufsatz aus Soest
Westfälische Schule

122

um 1525

Barock
ANTWERPEN, Museum
Peter Paul Rubens

1620

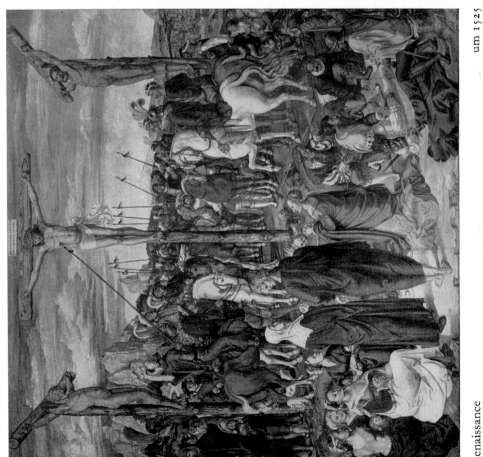

Renaissance
BUDAPEST, Museum
Anton Woensam von Worms

123

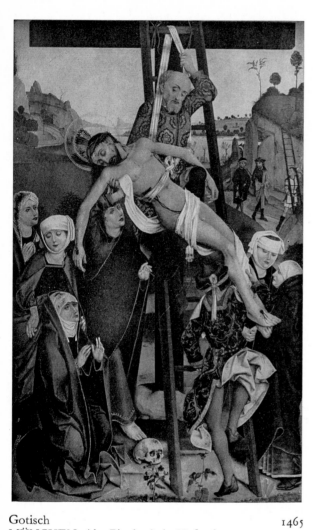

Gotisch   1465
MÜNCHEN, Alte Pinakothek, Hoferaltar
Michael Wolgemut

Renaissance   um 1530
LENINGRAD (St. Petersburg), Eremitage
Bernhard von Orley

Barock   1633
MÜNCHEN, Alte Pinakothek
Rembrandt van Rijn

Renaissance
MÜNCHEN, Alte Pinakothek
Barthel Bruyn

um 1530

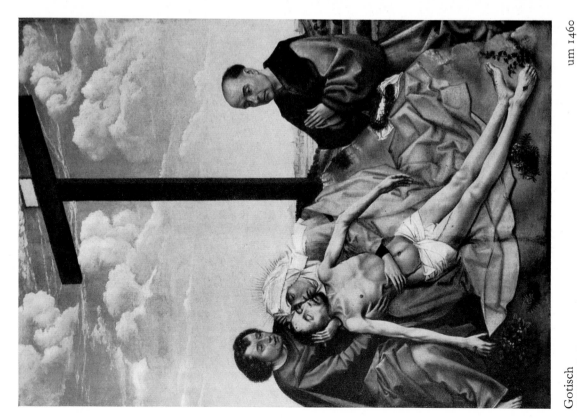

Gotisch
BERLIN, Deutsches Museum
Roger v. d. Weyden, Schule

um 1460

126

1614

Barock
WIEN, Kunsthistorisches Museum
Peter Paul Rubens

127

Renaissance
BERLIN, Deutsches Museum, Das Jüngste Gericht
Anton Woensam von Worms

um 1525

Gotisch
BERLIN, Deutsches Museum, Jüngstes Gericht
Memling-Schule

um 1460

128

Barock
MÜNCHEN, Alte Pinakothek, Das große Jüngste Gericht
Peter Paul Rubens
1616

Gotisch   um 1450
BRÜSSEL, Galerie
Flämische Schule

Renaissance   1509
FRANKFURT a. M., Städelsches Museum
Albrecht Dürer — Kopie eines verbrannten Originals

130

Barock   um 1730
BERLIN, Deutsches Museum
Paul Troger

Renaissance   um 1530
WIEN, Kunsthistorisches Museum, Judith
Lucas Cranach der Ältere

Barock   1618
BRAUNSCHWEIG, Gemäldegalerie, Judith
Peter Paul Rubens

Gotisch   1473
SIGMARINGEN, Fürstliche Galerie, Stifterbild
Niederrheinischer Meister — Ausschnitt

Renaissance   1536
WIEN, Kunsthistorisches Museum, Jane Seymour, Königin von
England   Hans Holbein der Jüngere

Italienische Renaissance   1503
PARIS, Louvre, Mona Lisa
Lionardo da Vinci

Barock   um 1632
WINDSOR, Königliches Schloß, Helene Fourment
Peter Paul Rubens

Renaissance
BERLIN, Deutsches Museum, Frauenbildnis
Albrecht Dürer

1507

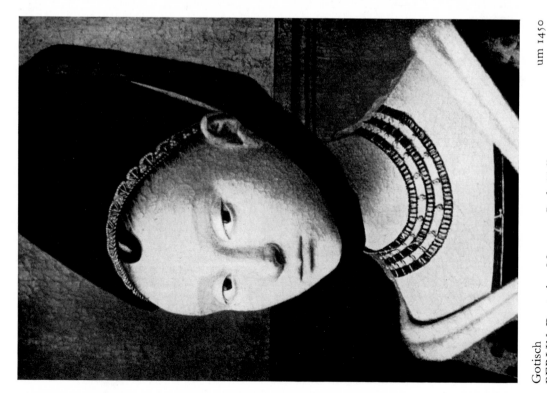

Gotisch
BERLIN, Deutsches Museum, Lady Talbot
Petrus Cristus

um 1450

136

Renaissance
DRESDEN, Gemäldegalerie, Der Maler Bernhard von Orley 1521
Albrecht Dürer

Gotisch um 1475
ANTWERPEN, Museum
Hugo van der Goes

In diesen Porträts spiegeln sich Weltanschauung und Lebenshaltung zweier Zeitalter: die ganz von der Gottesidee durchdrungene Epoche der Gotik und der bürgerliche Geist der Reformationszeit.

um 1620

Barock
MÜNCHEN, Pinakothek
A. van Dyck, Selbstbildnis

1533

Renaissance
WIEN, Gemäldegalerie
Hans Holbein

Der Renaissance-Mensch nüchtern und ruhig, fast pedantisch wirkend, neben dem flotten, lebensbejahenden Vertreter des Barock.

138

1647

Barock
DRESDEN, Gemäldegalerie, Karl I. von England
A. van Dyck (Kopie von Lely)

um 1539

Renaissance
LONDON, Schloß Windsor, König Heinrich VIII.
Hans Holbein der Jüngere

139

Barock
WIEN, Liechtensteingalerie
Peter Paul Rubens

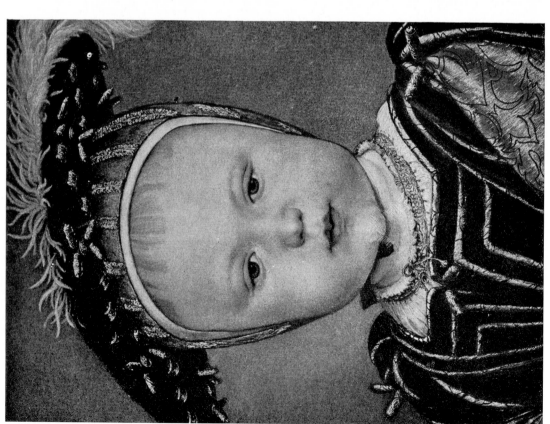

1538

Renaissance
HANNOVER, Galerie, Eduard Prinz von Wales
Hans Holbein der Jüngere

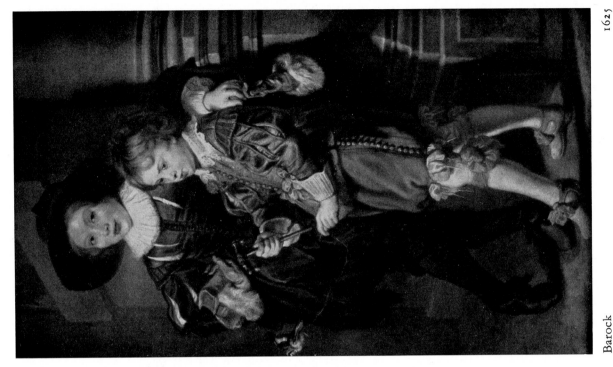

Barock
WIEN, Liechtensteingalerie, Die Söhne des Malers
Peter Paul Rubens

1625

Renaissance
DRESDEN, Historisches Museum, Prinz Alexander
Lucas Cranach der Jüngere

1564

141

Renaissance   1526
BERLIN, Deutsches Museum, Hieronymus Holzschuher
Albrecht Dürer

142

Barock   1632
KASSEL, Gemäldegalerie, Studienkopf eines alten Mannes
Rembrandt van Rijn

Gotisch   1434
LONDON, Nationalgalerie, Giovanni Arnolfini und seine Gattin
Jan van Eyck

Renaissance   1525
WIEN, Kunsthistorisches Museum
Christof Amberger

Renaissance   1525
WIEN, Kunsthistorisches Museum
Christof Amberger

Barock   1609
MÜNCHEN, Alte Pinakothek, Selbstbildnis mit Isabella Brant
Peter Paul Rubens

Renaissance   1603
AMSTERDAM, Rijksmuseum, Anatomie des Dr. Sebastian Egbertsz
Aert Pietersen

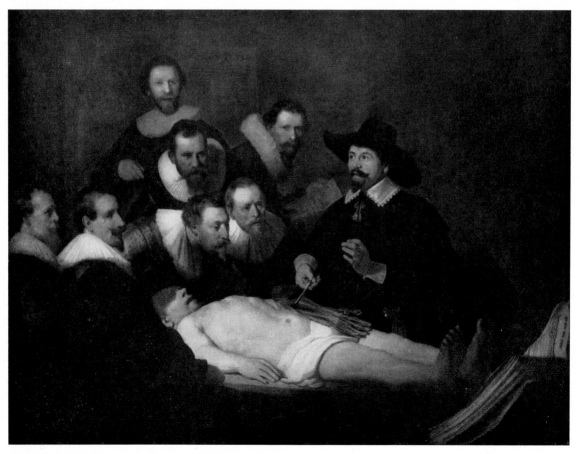

Barock   1632
HAAG, Mauritshuis, Anatomie des Dr. Tulp
Rembrandt van Rijn

146

Barock   1632
HAAG, Mauritshuis, Ausschnitt aus der „Anatomie des Dr. Tulp"
Rembrandt van Rijn

Renaissance   1529
AMSTERDAM
Rijksmuseum
Schützengilde
Dirk Jacobsz

Spätrenaissance um 1600
AMSTERDAM
Rijksmuseum
Schützengilde
Cornelis van der Voort

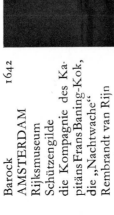

Barock
AMSTERDAM
Rijksmuseum
Schützengilde
Frans Hals

Barock   1642
AMSTERDAM
Rijksmuseum
Schützengilde
die Kompagnie des Ka-
pitäns Frans Baning-Kok,
die „Nachtwache"
Rembrandt van Rijn

Gotisch
ANTWERPEN, Museum
Flämischer Meister

um 1480

Renaissance   um 1550
AUGSBURG, Galerie
Pieter Brueghel (Bauernbrueghel)

Barock   um 1640
WIEN, Kunsthistorisches Museum
David Teniers der Jüngere

Spätgotisch   um 1500
BERLIN, Privatbesitz
Joachim Patinier

Renaissance   um 1520
DRESDEN, Gemäldegalerie

Hendrik Bles

Barock   1659
AMSTERDAM, Rijksmuseum
Jacob Ruisdael

Barock   1689
LONDON, Nationalgalerie
Meindert Hobbema

um 1595

Renaissance
AMSTERDAM, Rijksmuseum, Seeschlacht
Hendrik Vroom

154

Barock   um 1700
AMSTERDAM
Rijksmuseum
Der Kanonenschuß
Willem v. d. Velde

155

1730

Barock
AMSTERDAM, Rijksmuseum
Jan van Huysum

um 1590

Renaissance
HAAG, Mauritshuis
Ambrosius Boschaert

156

um 1680

Barock
DITTERSBACH b. Sagan, Privatbesitz
Flämisch

1545

Renaissance
BERLIN, Schloßmuseum
Willem Pannemaker

157

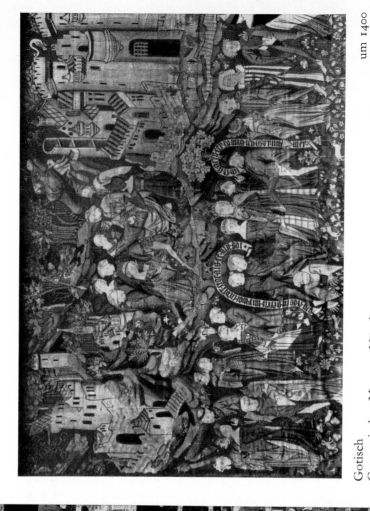

Gotisch
Germanisches Museum Nürnberg
„Spielteppich", Elsässische Wirkerei

um 1400

Romanisch
Kloster WIENHAUSEN, Tristanteppich, linke Hälfte

um 1280

158

um 1700

Barock
BERLIN, Schloßmuseum, Der Große Kurfürst bei Fehrbellin
Mercier

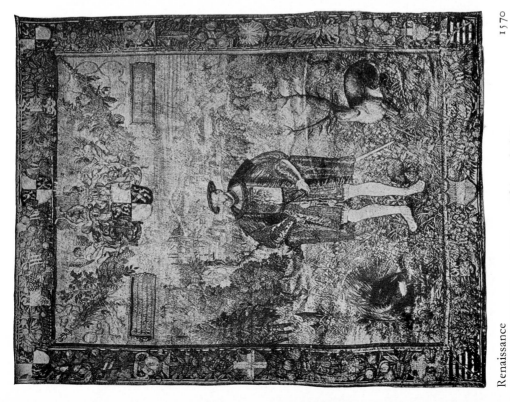

1570

Renaissance
Schloß NEUBURG a. d. Donau, Pfalzgraf Philipp

Renaissance um 1610
AMSTERDAM, Rijksmuseum
Osias Beert

Barock 1660
KASSEL, Gemäldegalerie
Jan Davidsz de Heem

REGISTER

MIT ERLÄUTERNDEN ANGABEN ÜBER KÜNSTLER, KUNSTWERKE, KUNST-STÄTTEN UND FACHAUSDRÜCKE

AACHEN, Kaiserpalast. Baubeginn 708. Nur das Münster erhalten, das zugleich als Grab- und Palastkirche erbaut wurde nach dem Muster von San Vitale in Ravenna. Eine Anzahl Säulen, Kapitelle und das Gitterwerk am Emporengeschoß stammen aus Italien. Ein Zentralbau mit einer in jener Zeit einzigartigen Gewölbekonstruktion. Siehe Seite 12.

ADAMSPFORTE am Bamberger Dom, Apostel Petrus. Siehe Bamberger Dom.
Abb. Seiten 87 und 104.

AIBLING in Bayern, Pfarrkirche. Maria von einer Kreuzigungsgruppe.
Abb. Seite 89 St.

AMBERGER, Christoph, 1490-1563. Führt seinen Namen nach der Stadt Amberg in der Oberpfalz, wo sein Vater als Steinmetz gearbeitet hat. Wird oft für einen Schüler Holbeins gehalten, weil seine Gemälde viel mit denen dieses Meisters gemein haben. Hat 1539 Kaiser Karl V. gemalt. Das Bild gefiel dem Kaiser so gut, daß er es mit Tizians Arbeiten auf eine Stufe stellte. Seine besten Gemälde in der Pfarrkirche zu St. Martin und im Franziskanerkloster zu Augsburg.
Abb. Bildnisse Wien Seiten 144-145.

AMORBACH, Unterfranken, katholische Pfarrkirche 1752 bis 1754. Stattliche dreischiffige Hallenkirche. Das Äußere in roten Sandsteinquadern. Die Skulpturen des Hochaltars von Joseph Keilwerth.
Abb. St. Sebastian vom Hochaltar Seite 112.

AMSTERDAM, Rijksmuseum
Beert, Osias, Stilleben, Seite 160
F. Hals, Schützengilde, Seite 149
J. Huysum, Blumenstück, Seite 156
D. Jacobsz, Schützengilde, Seite 148
A. Pietersen, Anatomie, Seite 146

Rembrandt, v. R., Nachtwache, Seite 149
J. Ruisdael, Landschaft, Seite 153
W. v. d. Velde, Seestück, Seite 155
C. de Voort, Schützengilde, Seite 148
H. Vroom, Seestück, Seite 154.

ANTEPENDIUM (lateinisch), Verkleidung des Altars aus Holz, Metall oder Altarvorhang aus Stoff.

ANTWERPEN, Museum
Flämischer Meister, Volksbild. Seite 150
Hugo van der Goes, Männerporträt, Seite 137
P. P. Rubens, Anbetung der Könige, Seite 121
P. P. Rubens, Kreuzigung, Seite 123.

ANTWERPEN, Rathaus. 1561-1564 von Cornelis de Vriendt, genannt Floris, erbaut. Der repräsentativste nordische Renaissancebau, der viel Nachahmung gefunden hat, so im Rathaus Emden u. a. Floris war auch als Bildhauer tätig. Das Wandgrab des Herzogs Albrechts I. von Preußen im Dom zu Königsberg Pr. von seiner Hand.
Abb. Rathaus Antwerpen Seite 41 St.

APSIS (griechisch), ursprünglich halbkreisförmige, seltener eckige Nische, die den Altarraum der Kirche nach Osten zu abschließt. Bei romanischen Kirchen meist drei Apsiden nebeneinander, bei gotischen oft ausgebaut durch einen Kapellenkranz. Siehe Chor.

ARKADE (italienisch), Bogen, Bogenreihe oder Bogenhalle, auf Säulen oder Pfeilern ruhend.

ASAM, Gebrüder, Cosmas, geb. 1686 zu Benediktbeuren, gest. 1742, und dessen Bruder Egid, geb. 1692 in Tegernsee, gest. etwa 1750. Der Ältere Maler, der andere Bildhauer. Ihr Hauptwerk ist die St.-Johann-Nepomuk-Kirche in München, Sendlinger Straße, die Egid auf eigene Kosten 1733—1746 erbaute und mit reichen Stukkaturarbeiten

schmückte, während Cosmas Decken- und Altarbild gemalt hat. Cosmas hat auch sonst viele Freskoarbeiten geschaffen, u. a. die Decke der Heilige-Geist-Kirche in München (siehe Seite 81). Von Egid A. stammten eine große Reihe von Schnitz- und Stuckarbeiten in der Stiftskirche zu Osterhofen und in der Peterskirche zu München.
Abb. St.-Johann-Nepomuk-Kirche Seite 67.

ASCHAFFENBURG, Kurmainzliches Schloß am Main. 1605 bis 1614 erbaut von Georg Riedinger aus Straßburg. Auf einer 20 m hohen Terrassenmauer mit dem Wappen des Bauherrn, Erzbischof Johann Schweikart aus Mainz. Einheitliche Anlage, symmetrisch durchgeführt. Vier Flügel um den quadratischen Hof herum, 51 × 51. Die Hofseiten nicht als Schauseiten ausgebildet, aller Nachdruck ist auf die vier Außenseiten gelegt, deren Länge je 48 m beträgt einschl. der vier quadratischen Ecktürme.
Abb. Seite 34 Gu.

AUGSBURG, Galerie P. Brueghel, Volksbild Seite 151.

AUGSBURG, Zeughaus und Rathaus. Das erste 1602-1607, das andere 1610-1620, beide von Elias Holl erbaut. Das Rathaus ein imposanter Bau, das Zeughaus berühmter. Beide Bauten von großer Ausgeglichenheit. Siehe Seite 16.

AUGSBURG, Fuggerkapelle (an St. Anna) 1518 vollendet. Ausstattung von Adolf Daucher. Im Hintergrund die Epitaphien von vier Fuggern, z. T. nach Entwürfen von Dürer.
Abb. Seite 71 Bi.

BAMBERG, Dom St. Peter und St. Georg. Die ältesten Teile gehen auf die Zeit Kaiser Heinrichs II. zurück. Der gegenwärtige Bau ein Werk des 13. Jahrhunderts auf dem Grundriß des früheren aus dem 11. Jahrhundert. Zweichörig, unter jedem Chor eine Krypta und neben jedem Chor ein Turmpaar. Ostchor (Georgenchor) außen und innen romanisch, die übrigen Teile schon stark von der aus Frankreich eindringenden Frühgotik beeinflußt. Das Vorbild der Kathedrale zu Laon deutlich erkennbar. Ein Modell der Türme dieser Kathedrale auf dem Baldachin am letzten Pfeiler des Ostchors der nördlichen Seite. Dächer und Türme aus dem 18. Jahrhundert. Restaurierung des Doms um 1830. Die Adamspforte links (südöstlich) vom Georgenchor und das Fürstenportal am nördlichen Seitenschiff, beide Anfang 13. Jahrhundert. Berühmter als der Bau des Domes selbst ist der momumentale plastische Schmuck. Am linken Mittelpfeiler der Reiter, der als Kaiser Heinrich III., als St. Georg oder einer der Heiligen Drei Könige gedeutet worden ist. Anklänge an Reims, in bezug auf den Sockel auch an die Kathedrale von Langres, jedoch eine vollkommen selbständige künstlerische Schöpfung. Wunderbar an der Bamberger Plastik, daß bei nachweisbarer Beeinflussung aus Frankreich die Figuren völlig deutschen Charakter haben.

Abb. Petrus, Adamspforte, Seite 87
„ Petrus, Adamspforte, Kopf, Seite 104
„ Grabmal Friedrich von Hohenlohe, Seite 85 Bi
„ Fürstenportal, Seite 54
„ Fürstenportal, Tympanon, Christus als Weltrichter, Seite 110
„ Fürstenportal, Ecclesia, Seite 90.

BAMBERG, Neues Rathaus auf der Regnitzinsel. 1744-1756. Aus einem gotischen Brückenturm umgestaltet. Altane und Stuckdekoration von B. Mutschelle.
Abb. Seite 43 Bi.

BAMBERG, Schloß, die sogenannte „alte Hofhaltung". Am eindrucksvollsten das nach dem Domplatz zu erhaltene prächtige Renaissancetor der Hofmauer mit reichem Figurenschmuck, erbaut von B. Voit aus Würzburg, der 1577 starb. Siehe Seite 16.

BASILIKA (griechisch), ursprünglich Königshalle, Königswohnung. Später Bezeichnung für den dreischiffigen Kirchenraum, von dem das mittlere Schiff — meist breiter als die Seitenschiffe — diese überragt, so daß es über diesen eigene Fenster hat.

BEERT, Osias, Stilleben, geb. um 1580, als Lehrling eingetragen 1596, gest. 1624. Er gilt als Meister für Stilleben.
Abb. Stilleben im Rijksmuseum S. 160.

BERLIN, Deutsches Museum.
König Artus, Steinfigur, Seite 86 Bi
Petrus Cristus, Lady Talbot, Seite 136
A. Dürer, Frauenbildnis, Seite 136
A. Dürer, Hieronymus Holzschuher, Seite 142
J. Feichtmayr, Maria Immaculata, 91 Ma
J. Feichtmayr, Maria aus einer Verkündigung, Seite 107 Bi
Gröninger Empore, Seite 110 St
H. Holbein, Herrenbildnis, Seite 138
H. v. Kulmbach, Anbetung der Könige, Seite 120
Kruzifix aus Unterröblingen, Seite 100 Mu
Leuchterengel, Bayrisch um 1500, Seite 93 B
H. Memling, Jüngstes Gericht, Seite 128
Pietà, Baden bei Wien, Seite 96 Bi
Pietà vom Tegernsee, Seite 97 Bi
Quinten Massys, Madonna, Seite 115
P. Troger, Himmelfahrt Mariae, Seite 131
R. v. d. Weyden, Madonnenkopf, Seite 118
R. v. d. Weyden, Beweinung, Seite 126
W. v. Worms, Jüngstes Gericht, Seite 128
Westfälische Schule 1200, Kreuzigung, S. 126
Hl. Sebastian, ulmisch, Seite 112
Hl. Katharina, schwäbisch, Seite 90.

BERLIN, Kaiser-Friedrich-Museum, Raffael, Madonnenkopf, Seite 119.
Rubens, St. Sebastian, Seite 111.

BERLIN, Privatbesitz
    J. Patinier, Hirschjagd, Seite 150
    Sammlung M., Madonna, 88 A. K.
    Sammlung M., Leuchterengel, Seite 93 Pu.

BERLIN, Schloßmuseum, Bildteppiche, Seiten 157 und 159.

BIEDERMEIER, Kultur- und Stilepoche im zweiten Viertel
    des 19. Jahrhunderts.

BLAUBEUREN, in Württemberg, unweit Ulm. Ehemaliges
    Benediktinerkloster, jetzt evangelisches Seminar. Doppel-

Niedersachsens, mit einer dreischiffigen Krypta unter Chor
und Vierung. Gewölbte Pfeilerbasilika rein romanischen
Stils. Die Ausmalung innen zum Teil schon 1226 begonnen.
Im Dom die Grabstätte mit den lebensgroßen Gestalten
Heinrichs des Löwen und der Herzogin Mathilde.
Abb. Seite 84 Bi.

BRAUNSCHWEIG, Galerie, Rubens, Judith, Seite 133.

BRAUNSCHWEIG, Rathaus. 1393 in Angriff genommen, als
Braunschweig sich der Hansa angeschlossen hatte. Zwei-

*Querschnitt durch eine romanische
und durch eine gotische Basilika*

Maria Laach

Halberstadt, Dom

Querschnitt durch eine gotische Hallenkirche

Marburg, Elisabethkirche

grabstein Ulrich v. Helfenstein und Agnes v. Wirttemberg
um 1480. Jetzt im Kapitelsaal.
Abb. Seite 84 St.

BLES, Hendrick, geb. 1480 im Hennegau, gest. 1550 zu
    Lüttich. Ursprünglich Historienmaler, in dessen Bildern die
    Landschaft allmählich so stark betont wird, daß die dar-
    gestellte Handlung immer mehr zur Staffage herabsinkt,
    ähnlich wie bei Patinier.
    Abb. Seite 152.

BONN, Münster. Von dem im 11. Jahrhundert begründeten
    Bau nur noch die Krypta erhalten. Kreuzgang, Chor und
    Ostturm des heutigen Doms stammen aus der Zeit 1126 bis
    1169, das Querschiff aus der 2. Hälfte des 13. Jahrhunderts,
    das Langhaus wurde 1205-1224 erbaut. Ein interessanter
    und gewaltiger spätromanischer Bau. Siehe Seite 14.

BOSCHAERT, Ambrosius, in Antwerpen vor 1570 geb., Mit-
    glied der Gilde in Antwerpen und Mittelburg. Starb im
    hohen Alter in Utrecht. Malte in erster Linie Blumenstücke.
    Abb. Blumenstück, Haag, Mauritshuis, Seite 158.

BRAUNSCHWEIG, Dom St. Blasius. Eine Gründung Hein-
    richs des Löwen 1173. Der erste einheitliche Gewölbebau

stöckiger gotischer Bau, im rechten Winkel angelegt, so
daß er zwei Seiten des Marktplatzes umfaßt. Zu ebener Erde
ein Laubengang, darüber eine offene, mit Maßwerk reich
verzierte Galerie. Siehe Seite 14.

BREMEN, Rathaus. Ursprünglich gotischer Backsteinbau 1405
    bis 1410. 20 Statuen von Kaisern und Kurfürsten auf
    schmalen Konsolen zwischen den Fenstern, von Baldachinen
    bekrönt. Im Obergeschoß ein einziger mächtiger Saal mit
    Balkendecke und reichgeschnitztem Ratsgestühl, von dem
    heute noch ein Teil im Gewerbemuseum erhalten ist. Mehr-
    fache Umbauten haben das Gesicht des Hauses verändert,
    am stärksten der dritte Umbau 1609-1614 durch Lüder von
    Bentheim, der den alten Laubengang mit elf spitzbogigen
    Arkaden in Rundbogen verwandelte und eine Balustrade
    aus Sandstein mit reichen Ornamenten darüber anlegte.
    Über den drei mittleren Bögen fügte er den Erker mit
    Giebel hinzu, ferner zwei kleinere Giebel und die Dach-
    balustrade. Einer der schönsten Bauten Deutschlands, bei
    dem die Mischung der Stile einen besonderen Reiz ausübt.
    Abb. Seite 40.

BRESLAU, Ceslauskapelle an der Südseite der St.-Adalberts-
    Kirche, eines frühgotischen Ziegelbaus aus der Mitte des

13. Jahrhunderts. Die Kapelle barock als Kuppelbau 1719 bis 1726 ausgebaut. Im Inneren reiche Wanddekorationen und Wandgräber.
Abb. Seite 83 Bi.

BRESLAU, Diözesan-Museum. Kruzifix aus der Corpus-Christi-Kirche in Breslau. Vor 1400. Lindenholz, Höhe 143 cm. Der Körper hängt heruntergesackt am Kreuz. — Das qualvolle Leiden ist in krassester Weise dargestellt, Die stark hervortretenden Adern durch Schnüre aufgelegt, die Blutstrauben zum Teil besonders eingelassen. Das ganze Kruzifix in Leinwandfassung, die an einigen beschädigten Stellen hervortritt. Reste der ursprünglichen Bemalung unter einer zerstörten späteren. Das Kreuz modern.
Aufnahme: Staatliche Bildstelle
Abb. Seite 98.

BRESLAU, Elisabethkirche. Gegründet 1245. Neubau Ende 14. Jahrhundert. Im Inneren reich an bürgerlichen Grabdenkmälern, das schönste unter diesen dasjenige für den Rat Heinrich Rybisch, gest. 1540, Rentmeister in Schlesien und Lausitz, und dessen Gattin, gest. 1544, von Michael Fidler d. Ä., 1534-1539 gefertigt.
Abb. Seite 83 Bi.

BRESLAU, Hochbergkapelle an der St.-Vinzenz-Kirche, Bau von Ende 14. bis Anfang 15. Jahrhundert. An der Südseite des Langhauses die Kapelle des Abts Graf Hochberg. Barockkuppelbau über elliptischem Grundriß, von Chr. Hackner im Jahre 1723 erbaut.
Abb. Seite 71 Bi.

BRESLAU, Portal des Gasthofs „Zur Goldenen Krone", Am Ring 29. Erbaut im Jahre 1528. 1903 abgebrannt. Wieder verwendet am Neubau des Staatsarchivs, Tiergartenstr. 13.
Abb. Seite 55 Bi.

BRESLAU, Rathaus. Ein verputzter Backsteinbau mit reichen Schmuckteilen aus Sandstein. Der künstlerisch reifste Profanbau Schlesiens aus gotischer Zeit. Malerisch mit großem Giebel, Erkern und heraldischem Beiwerk. Im Inneren reiches Stern- und Netzgewölbe. Siehe Seite 14.

BRESLAU, Universität. Ehemaliges Jesuitenkollegium an der Stelle der alten kaiserlichen Burg. 1728-1740 an der Oder erbaut von Blasius Peintner und Joseph Frisch nach einem Entwurf von Christoph Tausch. Auf der Stadtseite vor dem Treppenhaus Säulenportal und Balkon. Auf der Brüstung plastische Gruppen von J. A. Siegwitz.
Abb. Seite 57 Bi.

BRÜGGE, Rathaus. 1376-1387 erbaut. Ein zweistöckiger typischer gotischer Bau mit einer wie eine Kirche anmutenden Fassade, die richtunggebend gewesen ist für viele Bauten späterer Zeit. Das Wahrzeichen der einst reichen Hansestadt.
Abb. Seite 40 St.

BRUEGGEMANN, Hans, bekannter Bildschnitzer des 16. Jahrhunderts. Geboren zu Husum. Sein schönstes Werk, der geschnitzte Altar aus der Kirche zu Bordesholm, seit 1666 im Dom zu Schleswig. Siehe Seite 16.

BRUEGHEL, Pieter d. Ä. (Bauernbrueghel), geb. 1520, gest. 1569 in Brüssel. Trat 1551 in die Lukasgilde in Amsterdam ein. Vorübergehend in Frankreich und Italien. Malte viele Genrebilder, vor allem Szenen aus dem Bauernleben, Hochzeiten, Kirchweihen, Tänze. Er gilt als Begründer der niederländischen Genremalerei. Sein Volksbild Augsburg.
Abb. Seite 151.

BRÜSSEL, Rathaus. 1402-1454. Mächtiger als das Rathaus in Brügge und noch prächtiger, mit hochragendem Turm, der anmutet wie der Turm einer Kirche, wie Flandern überhaupt der klassische Boden für gotische Rathäuser ist. Siehe Seite 14.

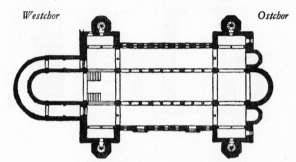

Romanische Kirche mit Doppelchor
St. Michael Hildesheim

BRUYN, Bartholomäus, geb. 1493 in Köln, gest. um 1556. Malte Porträts, die oft mit Holbein d. J. in Parallele gestellt wurden. Seine Hauptwerke sind die 1536 vollendeten Gemälde über dem Hochaltar der Stiftskirche von Xanten. In mancher Hinsicht italienisch beeinflußt. Die Alte Pinakothek in München besitzt 19 Gemälde von ihm, darunter sein vielleicht berühmtestes Werk, die Beweinung.
Abb. Seite 126.

BUDAPEST, Museum.
Niederrhein. Meister, Kreuzigung, Seite 122
W. v. Worms Kreuzigung, Seite 123.

BÜCKEBURG, Lutherische Kirche, 1613-1615. Einer der wenigen Kirchenbauten der Renaissance, aber mit vollkommen gotischem Raumgefühl. Ein eindrucksvoller, phantastischer Bau. Siehe Seite 16.
Abb. Seite 47 St.

BYZANTINISCH. Altchristliche Kulturepoche, die seit der Zeit des oströmischen Kaisers Justinian, von etwa 530 an, gerechnet wird. Die bedeutendste Schöpfung dieses Stils auf architektonischem Gebiete der byzantinische Zentralbau, die Sophienkirche in Konstantinopel und San Vitale in Ravenna, nach ihrem Vorbild auch die Markuskirche in Venedig.

BYZANTINISCHE SKULPTUREN, Seiten 110-111.

CHARTRES, Kathedrale. Eine der berühmtesten gotischen Kirchen Frankreichs, die auf die Weiterentwicklung von Architektur und Skulptur von größtem Einfluß gewesen ist. Die Fassade mit drei reichgeschmückten Portalen noch aus der Zeit von 1130. Langhaus, Chor und zwei ebenfalls reich mit Skulpturen geschmückte dreitorige Seitenportale aus gotischer Zeit.
Siehe Seiten 12 und 14.

CHILLON, Burg am Genfer See. Etwa 1100 erbaut, um die Straße von Burgund nach dem Großen St. Bernhard zu

CIBORIUM (lat.), Baldachin über dem Altar, unter dem das Gefäß zur Aufbewahrung der heiligen Hostie hängt.

COLMAR siehe Kolmar.

CRANACH, Lukas, Maler, Kupferstecher und Zeichner für Holzschnitt, geb. 1472 zu Cronach in Franken, gest. 1553, von seinen Zeitgenossen allgemein „Meister Lukas" genannt. Wurde schon mit 23 Jahren unter Friedrich dem Weisen zum sächsischen Hofmaler ernannt. Verheiratete sich um 1500 in Wittenberg, wo er den größten Teil seines Lebens zubrachte. 1520 schloß er sich der Reformation an. Malte viele Porträts von Luther, den übrigen Reformatoren und evangelischen Fürsten. Er hat auch Luther auf dem Totenbett dargestellt, weil er wahrscheinlich bei seinem Tode zugegen gewesen ist. Vorübergehend hat er auch in Paris, Wien und München gemalt. Bei einem Aufenthalt in den Niederlanden malte er Karl V. als Knaben. Wenn

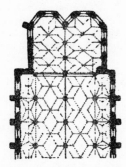
Doppelschiffiger Chor

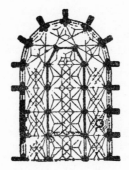
Chorumgang

Chorumgang mit Kapellenkranz

Schwaz, Franziskanerkirche

Dinkelsbühl, Stadtkirche

Rostock, Marienkirche

schützen. Die besterhaltene Burg aus jener Zeit mit Palas, Türmen und Wehrgang, unterirdischer Halle und gewölbter Kapelle.
Abb. Seite 34.

CHOR (griechisch). Der Raum in der Kirche, in dem sich der Hauptaltar befindet, meist nach Osten gerichtet. In romanischer Zeit wurden viele Kirchen auch mit Doppelchor gebaut, ein Chor im Osten und einer im Westen, wie St. Michael und St. Godehard in Hildesheim, der Bamberger und der Naumburger Dom.

CHORIN, ehemaliges Cisterzienserkloster. 1278 gegründet, 1334 geweiht. Ein besonders schöner frühgotischer Ziegelbau, dreischiffige Basilika. Zum Teil Ruine.
Siehe Seite 14.

seine größte Stärke auch in seinen Bildnissen liegt, so hat er doch auch viele andere Dinge gemalt, mythologische und allegorische Bilder. Eines seiner bekanntesten Werke, Ruhe auf der Flucht, im Deutschen Museum in Berlin. Wiederholt hat er das Thema Judith behandelt. Die bekanntesten Judith-Bilder von ihm befinden sich in der Staatsgalerie in Stuttgart, in New York, Sammlung Greif und im Kunsthistorischen Museum in Wien.
Abb. Seiten 132 und 141.

CRISTUS, Petrus, geb. um 1393 zu Baerle, verst. nach 1472. Unter dem Einfluß des Jan van Eyck gebildet, wahrscheinlich dessen Schüler, tätig in Köln und Antwerpen, seit 1444 in Brügge, wo er 1450 in die St.-Lukas-Gilde aufgenommen wurde. Das Berliner Deutsche Museum besitzt mehrere

Altarflügel von ihm und außer einer Maria mit dem Kinde das sehr bekannte Bildnis eines jungen Mädchens, angeblich der Lady Talbot.
Abb. Seite 136.

CUVILLIÉS, François de, d. Ä., Architekt. Geb. 1695 im Hennegau, gest. 1768 in München. Begann 1716 als Zeichner, studierte 1720-1724 in Paris und wurde 1725 Hofbaumeister in München. Er erbaute 1734-1739 das Jagdschlößchen Amalienburg im Nymphenburger Park. Für die von Johann Michael Fischer ausgebaute Klosterkirche Diessen entwarf er den Hochaltar.
Abb. Seite 73.

Gotisches Maßwerkfenster

DACHREITER, schlankes Türmchen auf der Höhe des Dachfirstes, meist auf der Kreuzung von Langhaus und Querschiff.

DANKWARDERODE, Burg. Schon 1067 erwähnt, später Residenz Heinrichs des Löwen und Kaiser Ottos IV. Der Palas 1175 erbaut, stark restauriert. Auf dem Platz vor der Burg der 1166 von Heinrich dem Löwen aufgestellte Bronzelöwe, das Wahrzeichen Braunschweigs. Siehe Seite 12.

DANZIG, Grünes Tor. Am Ostende des Langen Marktes· Typischer deutscher Renaissancebau aus dem Jahre 1568· Ziegelbau mit vier Durchfahrten. Seit 1880 restauriert als Provinzialmuseum. Der Name stammt von dem einst grünen Anstrich der Sandsteinbänder des Tores.
Abb. Seite 43 Bi.

DANZIG, St.-Marien-Kirche. Gewaltiger gotischer Ziegelbau, dessen Grundstein 1343 gelegt wurde. 1400 vergrößert. Dreischiffige Hallenkirche mit einem reichmaschigen Netzgewölbe. Lichte Höhe des Langhauses 29 m. Siehe Seite 14.

DANZIG. Reich an interessanten Bauten aus der Renaissancezeit. Das Alte Rathaus an der Schmalseite des Marktes stammt noch aus der Gotik (1379-1382), ist aber 1556 nach einem Brande umfassend erneuert worden. Das Altstädter Rathaus, begründet 1587 als Ziegelbau, ein typischer deutscher Renaissancebau das Zeughaus (1600-1605), ein stattlicher Ziegelbau, eines der bedeutendsten und schönsten Werke der deutschen Renaissance überhaupt. Siehe Seiten 14 und 16.

DEGLER, Johann, Holzbildhauer, um 1570-1637, aus einer Münchner Künstlerfamilie stammend. Tätig in München und hauptsächlich in Weilheim, wo er 1591 das Bürgerrecht erwarb. Schuf für St. Ulrich in Augsburg den Hochaltar, zwei Seitenaltäre sowie die Kanzel, für Unterhausen bei Weilheim den Hochaltar mit der thronenden Madonna.
Abb. Seite 95.

DIESSEN am Ammersee in Oberbayern. Klosterkirche. Ehemalige Kollegiatkirche. Begonnen und fast vollendet unter Probst Ivo 1719-28. Weihe nach vollendetem Umbau durch Johann Michael Fischer 1739. Chor und Altar von Cuvilliés entworfen. Mit einem Gemälde von Albrecht, bezeichnet 1738. Die Holzfiguren von Joachim Dietrich.
Abb. des Altars Seite 73 A.

DIETRICH, Joachim, Schnitzer und Holzbildhauer, tätig in München, gest. 1755. Arbeitete viel in Verbindung mit Cuvilliés, fertigte 1730 nach dessen Entwurf den Hochaltar der Klosterkirche Diessen an. Die vier großen Kirchenväter am Diessener Hochaltar von seiner Hand.
Abb. Holzstatuen Diessen, Seite 73.

DINKELSBÜHL, Mittelfranken, Stadtkirche St. Georg. Hallenkirche, vollendet 1499, restauriert 1854. Gotischer Taufstein von unbekanntem Meister aus dem Jahre 1444.
Grundriß des Chorumgangs Seite 165.

DIENTZENHOFER, Kilian Ignaz, geb. 1689, aus einer bekannten Baumeisterfamilie, gest. 1751. Berühmt durch viele Bauten in Böhmen und Schlesien. Schuf die Pfarrkirche in Wahlstatt bei Liegnitz, die beiden St.-Nikolaus-Kirchen in Prag, die Abteikirche zu Braunau am Eulengebirge. Vielfach wurde er auch als der Erbauer der Pfarrkirche in Grüssau bei Landeshut in Schlesien angesehen. Siehe Seite 18.

DITTERSBACH, Privatbesitz. Bildteppich. Seite 157.

DONNER, Raffael, geb. 1693 zu Eßlingen, Niederösterreich, gest. 1741 in Wien. Zuerst bekannt geworden durch seine Tätigkeit an dem Skulpturenschmuck der Karlskirche in

Wien und durch die Portalskulptur für den neuen Friedhof in Kloster Neuburg. Sein bekanntestes Werk ist der Brunnen am Neuen Markt (früher Mehlmarkt), ein Wahrzeichen der Stadt Wien. Siehe Seite 18.

DOPPELCHOR siehe Chor.

DORTMUND, Altes Tuchhaus. Eines der ältesten Häuser Deutschlands, erbaut nach einem Stadtbrande 1240. Das Erdgeschoß ein einziger großer Saal und ebenso das gesamte Obergeschoß. Die Fenster im Giebelgeschoß noch so erhalten, wie sie ursprünglich waren, in Kleeblattform. Der Giebel in der Renaissance verändert.

DRESDEN, Schloß. Unregelmäßige Baugruppe, ursprünglich als Burg angelegt, im 16. Jahrhundert zum Schloß umgewandelt. Der Georgenbau 1533 von Hans Schickentanz im Stil der Renaissance erbaut, jedoch nach einem Brande 1701 nur noch das Erdgeschoß erhalten. Eines der beiden Portale

Albrecht Dürer

ist beim Umbau 1899 in die Ecke gegenüber der katholischen Kirche versetzt worden. Der Moritzbau wurde 1548 nach dem Entwurf von Kaspar Voigt begonnen, ebenfalls im

Stil der Renaissance. In der Folge vielfach angebaut und verändert. Siehe Seite 16.

DRESDEN, Frauenkirche. 1726-1738 von Georg Bähr. Barock-Zentralbau mit hoher Kuppel von protestantischer Einfachheit und großem Fassungsvermögen. Der Grundriß fast quadratisch mit abgestützten Ecken. Siehe Seite 18.

DRESDEN, Hofkirche. 1736-1751 von Chiaveri errichtet. Die Kanzel im Hauptschiff von Permoser.
Abb. Kanzel Seite 69.

DRESDEN, Galerie.
Hendrick Bles, Landschaft, Seite 152
A. Dürer, Männerbildnis, Seite 137
A. van Dyck, Karl I., Seite 139.

DRESDEN, Historisches Museum. Lucas Cranach d. J. Prinz Alexander, Sohn des Kurfürsten August.
Abb. Seite 141.

DÜRER, Albrecht, geb. 1471 in Nürnberg, gest. 1528. Sohn eines Goldschmieds. Kam mit 15 Jahren in die Lehre zu Michael Wolgemut und ließ sich 1494 als selbständiger Meister in Nürnberg nieder. Hatte vorher Basel, Kolmar, Straßburg und Venedig besucht. Wurde als Maler, Kupferstecher und Zeichner für Holzschnitte einer der umfassendsten deutschen Künstler und in gewisser Beziehung einer der Träger der ganzen geistigen Richtung seiner Zeit. 1506 besuchte er zum zweiten Male Italien und trat dort mit Bellini und Tizian in Verbindung. Das berühmte, unter italienischem Einfluß 1506 in Venedig gemalte Rosenkranzfest, das sich im Museum zu Prag befindet, muß einst, nach dem Zeugnis seiner italienischen Kollegen, ein außergewöhnliches Bild gewesen sein. Es ist mehrfach derart übermalt worden, daß man sich heute nur noch von der Komposition eine Vorstellung machen kann. In den Jahren 1511-1515 hat er viel in Kupfer gestochen und für Holzschnitte gezeichnet, darunter die Große und die Kleine Passion und das Leben der Maria.
1520 begann die letzte Periode seines Schaffens mit seiner Reise in die Niederlande. Dürers große Bedeutung kann man vielleicht mehr an seinen Kupferstichen und Holzschnitten erkennen als allein an seinen Gemälden. Die Albertina in Wien besitzt allein 150 Blätter, die Kunsthalle in Bremen 50 Zeichnungen von ihm.
Abb. Frauenbildnis, Berlin, Seite 136
    „ Hieronymus Holzschuher, Berlin, Seite 142
    „ Himmelfahrt Mariae, Frankfurt a. M., Seite 130
    „ Madonna, Wien, Seite 118
    „ Männerbildnis, Dresden, Seite 137.

DYCK, Antonis van, geb. 1599 in Antwerpen, gest. 1641 in London. Weniger ein Schüler als ein Gehilfe von Peter Paul Rubens, in dessen Werkstatt er, schon als Meister der St.-Lukas-Gilde, von 1618 ab tätig war. Nach 1620 mehrere

Jahre in London und Italien, kurze Zeit in Antwerpen. Wurde in Genua zum bevorzugten Bildnismaler der vornehmen Gesellschaft. In dieser Zeit entstanden die beiden wunderbaren großen Porträts, die im Kaiser-Friedrich-Museum in Berlin waren. 1627 kehrte er in seine Heimat zurück, wurde Hofmaler der Statthalterin, Erzherzogin Isabella. Neben Rubens der bedeutendste flämische Maler des 17. Jahrhunderts. Bei starker Beeinflussung durch diesen doch eine selbständige Künstlerpersönlichkeit.
Abb. Madonna, München, Seite 115
   „   Karl I. von England, Dresden, Seite 139
   „   Selbstbildnis, München, Seite 138.

ECCLESIA (griechisch). Als Sinnbild der christlichen Kirche oft der Synagoge gegenübergestellt. Berühmte Figuren am Straßburger Münster.
Abb. Seite 56
und am Fürstenportal des Bamberger Doms.
Abb. Seite 54.

ELSHEIMER, Adam, geb. 1578 in Frankfurt a. M., gestorben 1610 in Rom. Seit etwa 1600 in Italien. Eine Zeitlang mit Rottenhammer in Venedig zusammen, dann in Rom, wo er großes Ansehen genoß. Er malte im allgemeinen in kleinem Format, in erster Linie Landschaften mit historischer und mythologischer Staffage. Gemälde von ihm in den Sammlungen der ganzen Welt. Siehe Seite 18.

ELTZ, Burg unweit der Mosel, im Reg.-Bez. Koblenz. Auf einsamem Felskegel in einem Talkessel gelegen, zwischen bewaldeten Höhen versteckt. Einer der wenigen unverändert erhaltenen Bauten des Mittelalters. Erbaut mehr zum Wohnen als zu Wehrzwecken. Der älteste Teil aus dem 13. Jahrhundert.
Abb. Seite 35 St.

EMDEN, Rathaus. Monumentalbau der Renaissance der stark an das Rathaus in Antwerpen erinnert. Errichtet von einem Baumeister aus Antwerpen 1574-1576. Siehe Seite 16.

EPITAPH (griechisch), Grabschrift, Grabplatte oder Grabdenkmal, künstlerisch ausgeschmückt.

ERFURT, Stiftskirche St.-Marien — Dom. Angeblich 741 gegründet. Der heutige Bau 1253 geweiht, Chor 1349-1370 gotisch erweitert. Das Langhaus 1455 als gotische Hallenkirche umgebaut. Barock-Hochaltar mit mächtigem Holzaufbau 1697 aufgestellt. In der Mitte des Chors lebensgroße bronzene Leuchterfigur, drei Kerzen haltend. Romanische Arbeit aus dem 12. Jahrhundert.
Abb. Seite 74 St.

EYCK, Hubert und Jan van, Begründer der niederländischen Ölmalerei. Neuerdings wird erwogen, ob Hubert überhaupt je existiert habe. Die Frage ist noch nicht geklärt. Nach bisheriger Annahme Hubert d. Ä., geb. um 1370, gest. 1426

in Gent, Jan d. J., geb. um 1390, gest. 1441 in Brügge. Glanz und Kraft der Eyckschen Bilder stellen einen Höhepunkt in der Geschichte der Malerei dar, wie er nur ganz selten wieder erreicht worden ist — ein Wunder, daß in der Frühzeit der Malerei schon eine solche Vollendung erreicht werden konnte. Das bekannteste Werk der Genter Altar, aus zwölf Tafeln bestehend (das Sockelbild ging verloren), von denen sechs sich viele Jahre im Berliner Museum befunden haben. Seit dem Frieden von Versailles 1919 befindet sich der Genter Altar, soweit er erhalten ist, wieder in Gent.
Hubert v. E. wurden bisher nur wenige Bilder in Italien mit Sicherheit zugeschrieben, weil sie nicht, wie die von Jan, mit Namen und Jahreszahl signiert sind. Jan v. E. werden etwa 30 Gemälde zugeschrieben, Darstellungen des Jüngsten Gerichts, der Verkündigungen und entzückend zarte Madonnenbilder. Berühmt die Madonna mit dem Kanzler Rollin in Paris.
Abb. Ehepaar Arnolfini, London, Seite 144.

FEICHTMAYR, Joseph Anton, geb. 1696 in Linz, gest. 1770 in Mimmenhausen am Bodensee. Aus einer bayerischen Künstlerfamilie stammend, ansässig in Killenberg. Seine bedeutendsten Werke, entstanden 1762-1768, in St. Gallen (Stiftskirche).
Abb. Maria Immaculata, Seite 91
   „   Maria aus der Verkündigungsgruppe, Seite 107.

FIALE, die Bekrönung eines gotischen Strebepfeilers durch ein Türmchen.

FIDLER, Michael d. Ä., Steinmetz, Geburtsjahr unbekannt. Starb um 1569 in Breslau. Soll in der Elisabethkirche in Breslau das Grabdenkmal von Heinrich Rybisch, Rentmeister in Schlesien und Lausitz, und dessen Gattin geschaffen haben.
Abb. Wandgrab, Breslau, Seite 83.

Fischblase

FISCHBLASE, Verzierung bei gotischem Maßwerk in Form einer Fischblase.

FISCHER, Johann Michael, Baumeister, geb. 1691 zu Burg
Lengenfeld, gest. 1766 in München. Der Erbauer der
Kirchen Diessen, Rott am Inn, Ottobeuren und der Abteikirche Zwiefalten. Einer der bedeutendsten Kirchenbau-
meister Bayerns. Siehe Seite 18.

FISCHER VON ERLACH, Johann Bernhard, Architekt, geb.
1656 zu Graz, gest. 1723 in Wien, aus einer Baumeisterfamilie stammend. Einer der bedeutendsten Meister des
Barock. Schuf in Wien die Karl-Borromäus-Kirche. Sein
bedeutendster Bau vielleicht die Kollegienkirche in Salzburg. Hat viele öffentliche und Privatbauten in Wien, Prag,
ferner die Kurfürstenkapelle im Dom zu Breslau geschaffen.
Siehe Seite 18.

FLORENZ, Palazzo Strozzi. Ein edler, aber durch die mäch-
tigen Quadern (Rustika) schwer wirkender Bau, dessen
Grundstein 1489 gelegt wurde. Von Vasari Benedetto da
Majano erbaut. 1500 wurde das Gesims nach altrömischem
Muster in vergrößertem Maßstabe als Dachabschluß an-
gefügt.
Abb. Seite 41 St.

FRANCKE (Meister Francke). Hamburgischer Maler im ersten
Drittel des 15. Jahrhunderts, dessen Hauptwerk, der Thomas-
altar, in der Hamburger Kunsthalle. F. war zu seiner
Zeit sehr bekannt und von großem Einfluß auf die Kunst
Norddeutschlands. Eine ganz selbständige Künstlerpersön-
lichkeit, die mit der Tafelmalerei Schwabens, Frankens,
Westfalens und Niedersachsens nichts gemein hatte. Siehe
Seite 14.

FRANKFURT A. M., Liebighaus, Apostel.
Abb. Seite 105.

FRANKFURT A. M., Städt. Museum
A. Dürer, Himmelfahrt.
Abb. Seite 130.

FREIBERG, Sachsen, Marienkirche — Dom. Ursprünglich
romanischer Bau aus dem 12. Jahrhundert, der 1484 durch
Brand wesentlich vernichtet, 1501 neu errichtet wurde.
Von dem ersten Bau ist insbesondere die Goldene Pforte
am südlichen Querschiff unversehrt geblieben, so benannt
wegen der ehemaligen Vergoldung einzelner Teile. Durch
die Jahrhunderte gut erhalten wegen ihrer Verbindung
mit einem spätgotischen Kreuzgang, der im 19. Jahrhundert
beseitigt wurde. Diese Goldene Pforte bildet einen der bedeutendsten Höhepunkte spätromanischer Portalarchitektur
in Verbindung mit dem Skulpturenschmuck, ähnlich wie
beim Fürstenportal des Bamberger Doms. Im Bogenfeld
über der Tür die Anbetung der heiligen drei Könige, in
der Mitte Maria mit dem Christuskinde.
Abb. Madonna, Seite 111
  „ Prophet, Seite 110.

FREIBERG (Sachsen), Dom. Maria von der Kreuzigungs-
gruppe. Um 1230-1240. Holz, Höhe der Figur 2,12 m. Alte
Bemalung, zum Teil vergoldet. Nur leicht beschädigt.
Die Kreuzigungsgruppe stammt von dem noch in Frag-
menten erhaltenen Lettner.
Aufnahme: Sächsische Landesbildstelle
Abb. Seite 89.

FREIBURG/Breisgau. Münster Unserer Lieben Frauen. Ursprünglich romanische Pfarrkirche von besonders schönen
klassischen Formen, von ihr das Querschiff mit den beiden
Türmen neben dem Altarhause noch erhalten. Nicht ganz
so vollendet das frühgotische Langhaus, das etwa 1250
begonnen wurde. Im Westen baut sich über der Portalhalle
auf quadratischem Grundriß der berühmte Turm auf, mit
achteckigem Glockenhaus, der in der durchbrochenen
Steinpyramide gipfelt — an Schönheit der Form wohl
kaum übertroffen. Vor 1270 begonnen, aber erst nach 1300
vollendet. Höhe 115 Meter. Der spätgotische Chor wurde
erst 1350 angebaut von Johannes von Gmünd, einem Sohn
des Heinrich Arler von Köln. Viele Anklänge in der
Bauart der verschiedenen Perioden erinnern an das Straßburger Münster.
Am südlichen Querschiff ist eine Renaissance-Vorhalle angebaut worden, durch deren mittleren Bogen man im
Hintergrunde deutlich das romanische Brautportal des
Querschiffs erkennen kann.
Abb. Vorhalle am Münster, Seite 57 Bi
  „ Madonnenkopf, Seite 102 Ma.

FRESKO (italienisch al resco), Art der Wandmalerei, bei der
die Farbe nicht auf einen besonderen Untergrund, Holz
oder Leinwand, sondern direkt auf die Kalkfläche der Wand
aufgetragen wird. Das berühmteste Freskobild ist das
Abendmahl von Lionardo da Vinci in Santa Maria della
Grazie in Mailand, heute fast zerstört.

GANGHOFER, Jörg, Baumeister, geb. in Sixthaselbach bei
Moßberg, gest. 1488 in München. Schuf als Stadtbaumeister
von München die Frauenkirche, die bei seinem Tode bis
auf die Turmhaube vollendet war. Auch die ursprünglich
gotische Heilige-Geist-Kirche in München wird ihm zugeschrieben, die im 18. Jahrhundert von Schmidtgartner
barock überkleidet wurde.
Abb. Frauenkirche München, Seite 76
  „ Heilige-Geist-Kirche München, Seite 77.

GEBWEILER (Elsaß), St.-Leodegar-Kirche. Soll 1142 begonnen worden sein. Ein besonders von außen malerischer
Bau voll Wucht, der durch seine dreitorige offene Vorhalle
und die schweren viereckigen Türme der Westfront einen
besonders eindrucksvollen Charakter erhält.
Abb. Seite 46 St.

GELNHAUSEN, Kaiserpfalz, 1158 zuerst genannt. Die als Ruine noch besterhaltene und schönste Kaiserpfalz aus staufischer Zeit, wenn auch nicht die größte. Die Hauptteile aus den Jahren 1210-1220, die Eingangshalle vielleicht noch älter. Ein mächtiger Bau, umgeben von einer über 2 m starken Ringmauer. Vom Palas ist das Erdgeschoß erhalten und der darüberliegende fast quadratische Saal (13 × 12 m) mit gekuppelten Fensterbögen und Säulen, welche die Balkendecke stützen. An der Nordwand ein schöner Kamin. Siehe Seite 12.

GELNHAUSEN, Romanisches Haus. Ursprüngliche Bestimmung als Rathaus zweifelhaft. Ein großer Saal im Obergeschoß nimmt die ganze Ausdehnung des Gebäudes ein. Erbauungszeit um 1200. Nach verschiedenen Umbauten 1881 restauriert. Die Mitteltür über dem balkonartigen Vorbau und die Fenster des Obergeschosses sicher aus alter Zeit.
Abb. Seite 38 St.

GERNRODE im Harz, Stiftskirche St. Cyriacus. 961 begründet von Markgraf Gero. Doppelchörige Basilika mit flacher Decke auf schiefem Grundriß. Der heutige Bau das älteste guterhaltene Denkmal der frühromanischen Epoche ottonischer Zeit von besonders eindrucksvoller Raumwirkung. Über den Arkaden auf beiden Seiten je eine Säulen-Empore, die wohl für die Nonnen bestimmt war. Siehe Seite 16.

GOES, Hugo van der, geb. etwa 1440, gest. 1482 im Roodekloster bei Brüssel. Maler. Hauptsächlich in Gent tätig gewesen.
Abb. Männerporträt Antwerpen, Seite 137.

GLORIE (lat.), auch Gnadenschein, Strahlenbündel, bei der Darstellung heiliger Figuren zur Kennzeichnung ihrer göttlichen Herkunft und Bedeutung.

GOLDENE PFORTE, Freiberg, Sachsen, Madonna, Seite 111. Prophet, Seite 110.

GÖRLITZ, Oberlausitzer Gedenkhalle. Christus auf der Rast (Schmerzensmann). Um 1490. Lindenholz, Höhe 130 cm. Reste alter Bemalung.
Aufnahme: Sächsische Landesbildstelle.
Abb. Seite 92.

GÖRLITZ, Rathaus am Untermarkt. Berühmt durch die geschwungene Freitreppe mit dem Standbild einer Justitia auf einem Säulenkandelaber und mit einer Verkündigungskanzel, die die Jahreszahl 1537 trägt. Siehe Seite 16.

GOSLAR, Kaiserhaus. Um 1000 erbaut, durch Feuersbrünste zerstört. 1873 wiederhergestellt. Damit ist aber die umfangreiche Kaiserpfalz (über 500 m lang, 250 m breit) nur zum kleinen Teil rekonstruiert. Jedoch gewinnt man in dem den größten Teil des Hauptgeschosses einnehmenden Kaisersaal einen ungefähren Eindruck von der prächtigen Anlage. — Die Doppelkapelle St. Ulrich, in den Einzelheiten stark erneuert, gehört zu der alten Kaiserpfalz. Das Erdgeschoß entspricht einem griechischen Kreuz mit quadratischen Armen. Enthält einen Steinsarkophag mit der Grabfigur Kaiser Heinrichs III.
Abb. Doppelkapelle St. Ulrich, Seite 70 Bi.

GÖTSCH, Josef. Holzbildhauer in Aibling. Zweite Hälfte 18. Jahrhundert. Schüler und Mitarbeiter von Ignaz Günther. Werke von ihm: Kanzel, Beichtstuhl und Nebenaltäre der Kirche Rott am Inn.
Abb. Maria, Aibling, Seite 89.

GRÖNINGEN, Prov. Sachsen. Ehemalige Benediktinerklosterkirche. Flachgedeckte Basilika aus dem 11. Jahrhundert. Am Westende des Mittelschiffs eine Empore, deren Stuckreliefs, „Christus als Weltrichter", im Deutschen Museum Berlin.
Abb. Christus als Weltrichter, Seite 110.

GRÖNINGER, Gerhard, Bildhauer und Architekt, geb. 1582 in Paderborn, gest. 1652 in Münster, aus einer westfälischen Bildhauerfamilie. Seine Arbeiten nur selten

Albrecht Dürer

signiert. Seine Hauptwerke im Dom zu Münster. Die im Schnütgen-Museum in Köln befindliche Figur Christus an der Geißelsäule wird ihm vielfach zugeschrieben.
Abb. Seite 101.

GRÜNEWALD, Matthias, eigentlich Mathis Gotthardt Neithardt, geb. zwischen 1470 und 1483, gest. um 1530. Einer der bedeutendsten, sicherlich der eigenwilligste deutsche Maler. War hauptsächlich in Mainz und am Mittelrhein tätig. Schon seine ersten Werke, die Verspottung Christi, München, und die kleine Kreuzigung, Basel, zeigen ihn ziemlich unabhängig von anderen Meistern. Seine Hauptwerke der Isenheimer Altar im Museum in Kolmar und die Kreuzigung in der Kunsthalle Karlsruhe. G. geht in leidenschaftlicher Ausdrucksweise eigene Wege und ist in der Behandlung von Licht und Farbe seiner Zeit weit voraus. In der Komposition deutlich der Zusammenhang mit der Renaissance erkennbar. Siehe Seite 16.

GRÜSSAU, Schlesien, Kr. Landeshut. Ehemaliges Zisterzienserkloster, 1292 gegründet. Der heutige Bau 1729-1735 von einem unbekannten Meister. Der bedeutendste Barockbau Schlesiens.
Abb. Seite 47.

GÜNTHER, Ignaz, Bildhauer und Architekt, geb. 1725 zu Altmannstein (Oberfranken), gest. 1775 zu München. Seine bedeutendsten Schöpfungen die Innenausstattung der Kirche zu Rott am Inn von 1761-1762, die Arbeiten für die Pfarrkirche in Weyarn und der Dreifaltigkeitsaltar der Neustiftskirche in Freising.
Abb. Pietà in Weyarn, Seite 97
  „   Apostel Paulus, Neustift, Seite 87.
  „   Maria, Nürnberg, Germanisches Museum, Schule Günther, Seite 103.

HAAG, Mauritshuis
  Ambrosius Boschaert, Blumenstück, Seite 156
  Rembrandt, Anatomie, Seiten 146-47

HACKNER, Christoph, Architekt, geb. 1663 in Jauer, gest. 1741 in Breslau. Seit 1716 Stadtmaurermeister in Breslau. Die Marienkapelle an der St.-Vinzenz-Kirche, die er im Auftrage Graf Hochbergs, des Abtes des Breslauer Prämonstratenklosters, schuf, sein bedeutendstes Werk.
Abb. Hochbergkapelle, Seite 71.

HAGENAU, Elsaß. Kaiserpfalz aus dem 12. Jahrhundert. Eine regelmäßige achteckige Anlage von großen Dimensionen. Wurde von Marschall Crequi 1678 völlig zerstört. Die Fundamente überbaut, so daß die aus dem 16. Jahrhundert stammende Beschreibung kaum nachgeprüft werden kann. Siehe Seite 12.

HAGENAUER, Friedrich, Bildschnitzer aus Straßburg. Ab 1520 vor allem in Augsburg tätig. Schuf viele plastische Arbeiten, Medaillen, später auch Holzschnitzarbeiten, von denen sich mehrere im Nationalmuseum München befinden.
Abb. Porträtbüste, Seite 108.

HALBERSTADT, Dom. Ein im wesentlichen gotischer Bau, der an Stelle der alten, schon 859 bezeugten ersten Gründung 1230 begonnen wurde. Aus dieser ältesten Zeit stammt von der doppeltürmigen Westfassade wohl nur der unterste Teil, während der ursprüngliche Plan schon bei dem Bau der Vorhalle im Erdgeschoß aufgegeben wurde. Aus der gleichen Epoche stammt der Kreuzgang, aus älterer Zeit der „alte Kapitelsaal", dessen ursprüngliche Bestimmung als Gruftgewölbe nicht einwandfrei feststeht. Langschiff und Chor sind in der Zeit nach 1252 erbaut. Erst 1491 fand die endgültige Weihe statt. Die verschiedenen Bauperioden sind sowohl außen wie innen deutlich erkennbar. Das Innere reich an dekorativer Plastik, unter ihnen eine Kreuzigungsgruppe, die aus dem alten romanischen Dom übernommen wurde, heute über dem Lettner angebracht.
Abb. Gruftgewölbe, Seite 81 Bi
  „   St. Sebastian, Seite 112
  „   Querschnitt, Seite 163
  „   Grabmal von Neuerstädt, Seite 85.

HALBERSTADT, Liebfrauenkirche. Romanischer Bau, um 1005 begonnen, dessen heutige Erscheinung auf die Bauzeit Ende des 12. Jahrhunderts zurückgeht, nachdem große Teile des alten Baues 1179 durch Brand zerstört waren. 1839 wurden die gotischen Umbauten entfernt und die ursprüngliche flache Decke wiederhergestellt. Im Inneren

Christuskopf. Ausschnitt aus der Holzschnittfolge „Die große Passion".   *Albrecht Dürer*

Chorschranken mit sehr flachen Stuckreliefs, Christus, Maria und die Apostel darstellend, und eine sitzende Madonna aus Eichenholz von 72 cm Höhe, die stolz erhobenen Hauptes, nicht starr, in die Ferne schaut, genau wie die

171

Madonna im Tympanon der Goldenen Pforte in Freiberg, Sachsen.
Abb. der Madonna Seite 94 Bi.

HALLENKIRCHE, Kirche mit mehreren Schiffen von gleicher Höhe. Elisabethkirche in Marburg der erste große Bau dieser Art, St. Lorenz in Nürnberg, Frauenkirche in München, die Marienkirchen in Danzig und Pirna, Kirchen in Maulbronn, Mühlhausen, Thüringen und Annaberg in Sachsen und andere.
Abb. Querschnitt Seite 163.

HALS, Frans, geb. 1580 in Antwerpen, gest. 1664 in Haarlem. Einer der bedeutendsten holländischen Bildnismaler. Die Stadt Haarlem beherbergt ein eigenes nach ihm benanntes Museum, in dem sich neben anderen Bildern von seiner Hand acht große Schützenstücke befinden.
Gemälde von ihm befinden sich in allen Galerien Europas. Seine bekanntesten Bilder, die mehrfach von ihm gemalte „Hille Bobbe", im Kaiser-Friedrich-Museum Berlin, der lautenspielende Narr, Paris, und die Zigeunerin im Louvre, Paris.
Abb. Schützengilde Amsterdam, Seite 149.

HAMMERER, Hans, Steinmetz, geb. zwischen 1440 und 1445, gest. etwa 1519. Werkmeister am Münster zu Straßburg, auch am Baseler Münster tätig. Sein Hauptwerk die nach eigenem Entwurf 1486-87 errichtete reich verzierte Kanzel des Straßburger Münsters.
Abb. Kanzel, Seite 68.

HANNOVER, Galerie, H. Holbein, Prinz v. Wales, Seite 140.

HEEM, Jan Davidsz de, Blumenmaler, geb. 1606 in Utrecht gest. 1683 in Antwerpen. Gehört zu einer weitverbreiteten holländisch-flämischen Familie von Stillebenmalern. Lebte etwa zehn Jahre in Leyden, über dreißig in Antwerpen. Seine Bilder gehören mit zu den bedeutendsten und schönsten, die je das Thema behandelten. In allen größeren deutschen Sammlungen vertreten.
Abb. Stilleben, Kassel, Seite 160.

HEIDELBERG, Schloß. Urkundlich 1225 zum erstenmal erwähnt, 1537 durch Brand zerstört. Der künstlerisch wichtigste Bauteil wurde 1544-1632 im Stil der Renaissance neu geschaffen. Nach Beschädigungen im Dreißigjährigen Kriege restauriert, 1689 und 1693 durch die Franzosen wieder zerstört. Mehrere Bauteile deutlich zu unterscheiden, der Ludwigsbau, der Ottheinrichsbau und der Friedrichsbau, die aus verschiedenen Zeiten stammen. Siehe Seite 16.

HEILBRONN, Kruzifix, Veit Stoß, Seite 99 St.

HELMSTEDT, Gebäude der 1576 gegründeten Universität (Juleum), die 1810 wieder aufgehoben wurde. Bedeutender Renaissancebau 1562 von Paul Franke, dem Erbauer der Hauptkirche in Wolfenbüttel. Nur noch ein Flügel erhalten. Siehe Seite 16.

HERING, Loy, Bildhauer, geb. um 1484, gest. etwa 1554, aus Kaufbeuren am Inn. Einer der fruchtbarsten Bildhauer der deutschen Frührenaissance. Mehr als 100 Werke werden ihm zugeschrieben. Kruzifixe von seiner Hand in der St.-Georg-Kirche zu Augsburg, der katholischen Kirche zu Gunzenhausen und der Franziskanerkirche zu Schwaz am Inn.
Abb. Christuskopf, Schwaz, Seite 101.

HILDESHEIM, St. Michael und St. Godehard. Zwei wunderbare romanische Bauten, die auf den Bischof Bernward von Hildesheim zurückgehen. St. Michael eine doppelchörige flachgedeckte Basilika, die 1034 erst ein halbes Jahr nach ihrer Fertigstellung niederbrannte, aber, unverändert im Grundriß sonst, unter Verwendung nur weniger Bruchstücke und mit einer reich gemalten, viel bewunderten Decke 1186 vollendet war. — St. Godehard, 1172 vollendet, eine ähnliche doppelchörige flachgedeckte Basilika, deren Westchor schon mit einem regelrechten Umgang und einem Kapellenkranz versehen ist. — Beide Bauten hochberühmt, von seltener Harmonie und Schönheit.
Grundriß St. Michael Seite 164.
Abb. Seite 58.

HILDESHEIM, Templerhaus. Um 1350 erbaut auf einem nach der Straße zu schmalen, sehr tiefen Grundriß. Der Grund für die Bezeichnung Templerhaus nicht mit Sicherheit aufgeklärt. Der zweigeschossige Erkervorbau im Renaissancestil wurde erst 1591 angebaut.
Abb. Seite 36.

HOBBEMA, Meindert, geb. 1638, gest. 1709 in Antwerpen. Einer der bedeutendsten holländischen Landschaftsmaler. Soll Schüler von Jacob Ruisdael gewesen sein. Sein bekanntestes Bild ist die Eschenallee in der Nationalgalerie in London.
Abb. Seite 153.

HOCHALTAR, der Hauptaltar auf erhöhtem Chor über der Krypta.

HOCHBERGKAPELLE, Breslau, Ch. Hackner, Seite 71.

HOFER-ALTAR, Altargemälde Kreuzabnahme, Wolgemut, München, Seite 124.

HOFFMANN, Hans Ruprich, um 1542 in Sintzheim/Pfalz geb., gest. 1616 in Trier. Bildhauer. Schuf eine Reihe von Altären und Epitaphien im Rheinlande. Sein bedeutendstes Werk die Kanzel im Dom zu Trier, datiert 1570-72.
Abb. Seite 69.

Hans Holbein

HOLBEIN, Hans, d. J., Sohn d. Ä., geb. 1497 in Augsburg, gest. 1543 oder 1544 in London. Schüler seines Vaters und Burgkmairs. Siedelte früh nach Basel über, trat später in den Dienst Heinrich VIII. von England. Eines seiner ersten Bilder ist das Porträt des Bürgermeisters Meyer und dessen Gattin, 1516. 19 Jahre später malte er das sehr populär gewordene Bild „Madonna des Bürgermeisters Meyer", das sich jetzt im Großherzoglichen Schloß zu Darmstadt befindet, Kopie in der Dresdner Galerie. Mit der Übersiedlung nach England 1526 beginnt seine Haupttätigkeit als Bildnismaler. Er hat auch viel für Holzschnitte gezeichnet, darunter 91 Blätter zum Alten Testament und den berühmten Totentanz.
Abb. Heinrich VIII., Windsor, Seite 139
„   Jane Seymour, Wien, Seite 134
„   Kinderbildnis, Hannover, Seite 140
„   Männerporträt, Wien, Seite 138.

HOMBURG, Schloß, Porträtbüste, Schlüter, Seite 109 Bi.

HOYER, Kruzifix von einer Kreuzigungsgruppe, ähnlich den Kreuzigungsgruppen im Halberstädter Dom und in Wechselburg. Um 1230. Holz, etwa lebensgroß. Bemalung erneuert. Sehr gut erhalten.
Aufnahme: Hinz, Flensburg
Abb. Seite 98.

INGELHEIM am Rhein, Kaiserpfalz Karls des Großen, unter Ludwig dem Frommen und Friedrich Barbarossa restauriert — heute völlig zerstört. Der mächtige Umfang durch Ausgrabungen 1909 bestätigt. Siehe Seite 12.

INNSBRUCK, Hofkirche. 1553-1563. Inneres später umgebaut und renoviert. 1927 wieder in die ursprüngliche Form gebracht. Das erste bedeutende Denkmal der Renaissance in Nordtirol. Im Inneren das Grabdenkmal Kaiser Maximilians I. mit 28 überlebensgroßen Figuren in zwei Reihen, unter ihnen zwei von Peter Vischer (1513).
Abb. König Artus, Peter Vischer, Seite 86 St.

JACOBSZ, Dirck, geb. in Amsterdam vor 1500, gest. 1567. Hat Bildnisse, vor allem Schützenstücke gemalt. Die Darstellung der Köpfe ist lebendiger und eindrucksvoller als bei den meisten Bildern anderer Porträtmaler aus der gleichen Zeit. Das eindrucksvollste sind die Hände. Die Komposition meist steif.
Abb. Schützengilde, Amsterdam, Seite 148.

KAISERSLAUTERN, Kaiserpfalz aus staufischer Zeit, vielfach umgebaut, zuletzt als kurpfälzisches Schloß im spanischen Erbfolgekrieg gesprengt, so daß heute nur noch wenige Teile erhalten sind. Aus Abbildungen aus den Jahren 1656 und 1700 geht hervor, daß damals noch sämtliche Bestandteile des ursprünglichen Baues vorhanden gewesen sind. Siehe Seite 12.

KÄMPFER, bei Bogen oder Gewölbebauten Bezeichnung für die Deck- oder Tragplatte zwischen dem stützenden Träger oder Pfeiler und der darüberliegenden Last.

173

KANNELIERUNG (lateinisch), senkrechte, an einer Säule herablaufende Rillen.

KAPITELL (lateinisch capitellum), der obere, meist verstärkte und verzierte Abschluß, Knopf oder Knauf einer Säule oder eines Pfeilers.

KAPELLENKRANZ, kranzförmig um den Chor einer Kirche herumgebaute Kapellen.
Abb. siehe Chor. Grundriß Seite 165.

Kapitelle

Romanisch: Hamersleben   *Gotisch: Köln*   *Renaissance: Schloß Baden*

KARLSBAD, Magdalenenkirche. Ein Meisterwerk des Barock mit kühn aufgesetzter Kuppel. Von Johann Dientzenhofer 1728-1736 erbaut.
Abb. Grundriß Seite 27.

KASSEL, Museum
de Heem, Stilleben, Seite 160
Rembrandt, Alter Mann, Studie, Seite 143.

KASSETTENDECKE. Durch über Kreuz liegende Balken in Felder eingeteilte Decke, aus der antiken Architektur in die Renaissance übernommen.

KEILWERTH, Johann Joseph, Bildhauer aus Waldsassen (Oberpfalz). Kam 1750 nach Würzburg, starb dort 1785. Die einzigen ihm mit Sicherheit zugeschriebenen Werke sind die Figuren und die Ausschmückung des Hochaltars der Pfarrkirche zu Amorbach aus dem Jahre 1742, die 1754 von Würzburg nach dorthin übergeführt wurden.
Abb. St. Sebastian, Seite 112.

KLASSIZISMUS, Epoche etwa von 1770 bis 1830, die sich in der Wiederbelebung von Geschmack und Formen der italienischen Renaissance und der antiken römischen und griechischen Kultur gefiel. Hauptvertreter: Lessing — Schinkel — Langhans — Rauch — Schadow — Tischbein.

KÖLN, Dom St. Peter. Grundstein zum heutigen Bau 1248 gelegt. Damals war die im Mauerwerk noch brauchbare Ruine des zweiten romanischen Doms (um 800 begründet) notdürftig wiederhergestellt worden und blieb bis zur Weihe des neuen Chors 1322 in Benutzung. Der Grundriß zu dem gewaltigen Wahrzeichen Kölns ist um ein Drittel größer als der des Straßburger Münsters und ist ohne Abänderung des ursprünglichen Plans zur Ausführung gebracht. Der zuerst erbaute Westchor, in herrlicher reiner Gotik, wurde durch eine provisorische Mauer nach der Westseite zu abgeschlossen und war so jahrhundertelang in Benutzung. 1350 begann man mit dem Bau der Westfassade, während das Langschiff nicht in Angriff genommen wurde. 1450 war der Südturm bis zur Höhe des Westchors aufgeführt, blieb aber unvollendet bis 1868 stehen. Auf der Höhe ragte ein Kran empor, von dem Schenkendorf 1815 gesagt hat:

„Seh' ich immer noch erhoben
Auf dem Dach den alten Kran.
Scheint mir nur das Werk verschoben,
Bis die rechten Künstler nah'n."

Im Gasthaus zur Traube in Darmstadt fand man 1814 einen Teil der Originalentwürfe, andere 1816 in Paris. Der 1840 gegründete Dombau-Verein führte die Vollendung des Doms bis 1881 durch. — Von gewaltiger Eindruckskraft das Innere, das Langschiff mit seiner mächtigen Höhe von 44 m, der Blick vom Seitenschiff zurück in das Langschiff und zur Höhe hinauf. Das Innere und der Domschatz reich an Kostbarkeiten, u. a. der Dreikönigsschrein und das Dombild von Stephan Lochner.
Abb. Westfassade, Seite 49 St
  „ Apostel Matthias, Seite 87 St
  „ Innenansicht, Seite 59 Bi
  „ Mailänder Madonna, Seite 88 Bi
  „ Maria, Seite 91 Bi
  „ Stich, 18. Jahrhundert, Seite 50 Kö
Grundriß Seite 26.

KÖLN, St. Gereon. Einer der merkwürdigsten Kirchenbauten überhaupt. Im wesentlichen Zentralbau, noch auf
Fundamenten aus der Römerzeit, im 13. Jahrhundert zehn-
eckig umgebaut. Daran anschließend ein niedrigeres Langhaus. Der Ostchor, ein romanischer Rundbau, flankiert
durch zwei mächtige Türme, um 1160.
Aufnahme: Eugen Coubillier, Köln
Abb. Seite 52.

Strebepfeiler (gotisch) am Kölner Dom

KÖLN, Hahnentor. Bis 1881 war die Stadt Köln von aus-
gedehnten Befestigungsanlagen umgeben, von denen heute
nur noch wenige Teile erhalten sind, unter ihnen das
Hahnentor, das einen Begriff von der mächtigen Anlage
gibt. Um 1200 angelegt, 1881 stark restauriert.
Abb. Seite 42 Bi.

KÖLN, St. Georg. Christus am Kreuz. Um 1360. Holz, Höhe
des Körpers 197 cm. Das Haupt auf die Brust herabgesunken, der Körper in übertriebener Weise mit vor-
tretendem Rippenkorb und eingefallenem Leib gebildet, die
Glieder dünn und verzerrt.
Aufnahme: Rhein. Museum, Köln
Abb. Seite 100.

KÖLN, St. Maria im Kapitol. Ehemaliges Frauenstift. Einheitliche Anlage, 1065 geweiht, deren Gründung auf das
7. Jahrhundert zurückgehen soll. Der älteste Teil der Westbau. Das Mittelschiff des Langhauses aus dem 11. Jahrhundert, im 13. Jahrhundert eingewölbt, Seitenschiffe von
Anfang an gewölbt. Der Ostbau in Form eines dreiblättrigen
Kleeblatts, Chor und Seitenarme des Querschiffs (um 1200)
gleich lang. Siehe Seite 12.
Abb. Madonna Seite 111.

KÖLN, Rathaus. Schon 1149 erwähnt. Vor den gotischen Bau
wurde 1569-1573 von Wilhelm Vernuiken eine zweigeschossige offene Vorhalle im Stil der Renaissance vor-
gesetzt, die große Berühmtheit erlangt hat. Siehe Seite 16.

KÖLN, Schnütgen-Museum
Gotische Madonna, sitzend, Seite 94 Kö
Gröninger, Christuskopf, Seite 101 Kö
Madonna in der Mantelfülle, Seite 106
Tiroler Madonna, stehend, Seite 111 Kö.

KÖLN, Wallraf-Richartz-Museum
St. Lochner, Madonnenbild, Seite 114.

KOLMAR, Stiftskirche St. Martin. Bis auf den Chor frühgotische Anlage aus der 2. Hälfte des 13. Jahrhunderts.
Von den Türmen nur der südliche ausgeführt, sein Helm
1572 abgebrannt. Im Inneren das berühmte Gemälde Schon-
gauers, Madonna im Rosenhag.
Abb. Maria im Rosenhag, Seite 114.

Kreuzblume

KREUZBLUME, Spitze eines gotischen Giebels oder Turmes
die durch eine Blume kreuzartig verziert ist.

KRAFT, Adam, Bildhauer in Nürnberg, geb. um 1455, gest. um 1508. Gehört zu den bedeutendsten Bildhauern seiner Zeit. Schuf 1493-1496 das berühmte Sakramentshaus der Lorenzkirche mit reichem plastischem Schmuck aus der Leidensgeschichte Christi, ferner eine große Anzahl Einzelreliefs, z. T. im Germanischen Museum in Nürnberg. Ausschließlich Steinbildhauer, der die dekorativen Formen der Spätgotik besonders stark betont. Die Wandlung zur Renaissance offenbart sich aber in der Behandlung seiner Figuren und Reliefs. Siehe Seite 14.

KÖNIGSBERG Pr. Denkmal des Kurfürsten Friedrich III. von Andreas Schlüter.
Abb. Seite 86.

KULMBACH, Hans von, geb. 1480, gest. 1522, Maler und Zeichner für Holzschnitte. Wahrscheinlich ein Schüler Dürers, dem er in der Charakteristik nahesteht. Von K. sind sieben große Gemälde erhalten. Sein Hauptwerk, der Tuchersche Altar in der St.-Sebald-Kirche zu Nürnberg, 1513 gemalt. Anklänge an dieses Bild in der Anbetung der Könige, Berlin, Deutsches Museum.
Abb. Anbetung der Könige, Seite 120.

LENINGRAD, Eremitage, Kreuzabnahme, Orley, Seite 124.

LETTNER (lateinisch lectorium), ursprünglich Lesepult. Querwand in der Kirche, die den Chor für die Geistlichkeit von dem für die Gemeinde bestimmten Raum abschließt.

LIMBURG a. d. Lahn. Stiftskirche St. Georg aus der 1. Hälfte des 13. Jahrhunderts. Ein geschlossener Bau in unvergleichlicher Lage auf eine Felswand hoch über der Lahn. Dicht beieinander ragen die wuchtigen sieben stumpfen Türme zum Himmel. Ein rein romanischer Eindruck, mehr Festung als Kirche, obwohl die Gotik sich schon in vielem bemerkbar macht. 1235 wurde der Altar geweiht. Siehe Seite 12.

LIONARDO DA VINCI, geb. 1452, gest. 1519. Schüler des Verrocchio. Zugleich Architekt, Bildhauer und Maler. Als Architekt schuf er das Modell für die Vierungskuppel des Mailänder Doms, als Bildhauer das Modell zu einem Reiterstandbild des Francesco Sforza, das, von Zeitgenossen sehr gerühmt, 1499 zerstört wurde. Trat auch mit physikalischen und mathematischen Schriften hervor. Seine berühmtesten Gemälde sind das Abendmahl im Refektorium des Dominikanerklosters Santa Maria della Grazie in Mailand, leider schon stark zerstört, und das Bild der Mona Lisa im Louvre Paris. L. ist infolge seiner Vielseitigkeit eine für die Epoche der Renaissance besonders charakteristische Persönlichkeit.
Abb. Mona Lisa, Seite 135.

LOCHNER, Stephan, wahrscheinlich aus Meersburg am Bodensee. Seit 1442 in Köln tätig, 1451 verstorben. Überragt an Bedeutung die meisten Maler seiner Zeit. Stark von den Niederländern beeinflußt, setzt aber seine Persönlichkeit gegen alle Schulung durch. Dürer gab auf seiner Reise in die Niederlande in Köln seiner Empörung darüber Ausdruck, daß dieser Meister, der die über alle Maßen schönen Tafeln gemalt hat, im Armenhaus sterben mußte. Das einzige Werk, das L. sicher zugeschrieben werden kann, ist der Altar der Stadtpatrone im Dom zu Köln. Dieses entstand 1442 bis 1444 und ist wie alle anderen Tafeln des Meisters nicht signiert.
Die Hauptwerke Lochners entstehen in folgender Reihenfolge:
Hieronymus in der Zelle
Weltgerichtsaltar
Dombild 1442-1444
Madonna mit den Veilchen
Anbetung und Darbringung 1445
Darbringung 1447
Mutter Gottes in der Rosenlaube
L. war auch als Buchmaler tätig.
Abb. Madonna, Köln, Seite 114.

LONDON, Nationalgalerie
J. v. Eyck, Doppelporträt, Seite 144.
M. Hobbema, Landschaft, Seite 153.

LÖWEN, Rathaus, 1447-1463. In seiner verwirrenden Pracht der von allen flandrischen Rathäusern am meisten einer Kirche ähnliche Rathausbau. Siehe Seite 16.

LÜBECK, Dom. Ursprünglich romanischer Bau, 1173 begonnen. Infolge vieler Veränderungen von rein gotischem Eindruck. Backsteinbau über ähnlichem Grundriß wie der Dom zu Braunschweig. Die nördliche Vorhalle nach Art eines Kreuzgangs der schönste und eindrucksvollste Teil des Doms, der auch im Inneren mit seiner wuchtigen Geschlossenheit einen tiefen Eindruck hinterläßt. Siehe Seite 14.

LÜBECK, Rathaus. Ältester Teil aus der Mitte des 13. Jahrhunderts. Ein großartiger Backsteinbau, in der Renaissance mit reichen Anbauten in Sandstein zum Teil überkleidet. Ein Laubengang an der Südfront am Markt aus dem Jahre 1571. Ein seltsamer Gegensatz zwischen dieser sehr reizvollen, lichten Fassade und der darüber steil aufstrebenden düsteren Wand. Siehe Seite 14.

MAGDEBURG, Dom St. Mauritii et Catharinae. Seine Gründung 937 geht auf Kaiser Otto zurück. 1209 wurde der Grundstein zum heutigen Bau gelegt, nachdem der alte Dom durch Brand vernichtet war. Der von einem Kapellenkranz umrahmte Chor 1231 vollendet. Das Querschiff 1240,

Albrecht Dürer

die Westfassade 1300 begonnen. Das prächtige Hauptportal und die Paradiespforte sind Anfang des 14. Jahrhunderts vollendet, der ganze Bau erst 1520 abgeschlossen. Das Innere, vor allem die Seitenschiffe, haben viel Verwandtschaft mit dem Straßburger Münster, nicht nur in den Proportionen, sondern auch in Einzelheiten. Eindrucksvoll der zum Teil noch aus dem 12. Jahrhundert stammende Kreuzgang. Neben den Skulpturen der klugen und törichten Jungfrauen an der Paradiespforte ist der Dom auch im Inneren reich an Bildwerken, unter denen vor allem Peter Vischers Grabmal des Erzbischofs Ernst die größte Bedeutung hat.
Abb. Apostel Paulus im Chor, Seite 110 Bi
  „   Grabstein eines Bischofs, Seite 85.

MAGDEBURG, Klosterkirche Unserer Lieben Frauen. Ursprünglich flachgedeckte romanische Basilika aus Grauwacken-Bruchstein, begonnen 1064, mit dreischiffiger Krypta. Weiterführung und Vollendung in Werkstein im 12. Jahrhundert. Im 13. Jahrhundert eingewölbt. Im Anschluß an das Klostergewölbe der Kreuzgang, das schönste und vollständigste Beispiel aus romanischer Zeit (um 1200) von besonders malerischem Reiz.
Abb. Kreuzgang, Seite 78 Bi.

MAINZ. Altertümersammlung, Kruzifix, Seite 99 St.

MAINZ, Augustinerkloster, ehemals gotisch, 1737-1776 neu erbaut. Die in enger Straße liegende Fassade ist, wie häufig in der Barockzeit, ganz auf die Portalarchitektur zugeschnitten. Ähnlich, nur erheblich größer, die Fassade der Johann-Nepomuk-Kirche in München. Entwurf des Portals und der Figuren von Joh. Sebastian Pfaff.
Abb. Seite 55 Bi.

MAINZ, Dom St. Martin und St. Stephan. Der sogenannte „neue" (zweite) Dom wurde von Erzbischof Williges schon 975 begonnen. Von dem jetzigen Bau geht noch ein großer Teil auf die damalige Anlage zurück. Am Tage der ersten Weihe wurde aber der Dom durch Brand zerstört, der wohl in einer Festbeleuchtung seine Ursache gehabt hat. Der 1036 wiederhergestellte (dritte) Bau brannte 1081 ebenfalls ab. Der größte Teil des heutigen Doms stammt aus den Jahren 1118-1135. Das Langhaus wurde 1200-1239 eingewölbt. In gotischer Zeit ist viel umgebaut worden. Eine Reihe von Altären und Kapellen, auch der östliche und westliche Vierungsturm wurden erhöht.
Abb. Inneres, Seite 58 Bi.

MAINZ, Dom. Grabmal des Kurfürsten Joh. Friedr. Karl von Ostein (gest. 1763). Von Heinrich Jung 1764.
Aufnahme: Marburg
Abb. Seite 85.

MAJANO, Benedetto da, Bildhauer und Baumeister in Florenz. Schuf die berühmte Marmorkanzel in St. Croce und außer dem Palazzo Strozzi (1489) eine Reihe von Kirchen und Palästen. Starb 1489.
Abb. Palazzo Strozzi, Seite 41.

MARBURG, Elisabethkirche, gegründet 1235, 1283 geweiht als Ordensniederlassung und zugleich als Wallfahrtskirche. Der früheste gotische Bau Deutschlands, der einheitlich in der neuen Stilepoche entstanden ist. Chor und Kreuzarme in der Form eines großen Kreuzes, dessen drei östliche Arme von Chor und Querschiff gebildet werden und völlig gleichmäßig ausgebildet sind. Türme erst in den Jahren 1314-1360 nach erfolgter Weihe vollendet. Die Fassade ist noch sehr einfach, aber ausdrucksvoll.
Abb. Äußeres, Seite 46 St.
  „   Landgrafenchor, Seite 82 Bi
  „   Querschnitt siehe Seite 163.

MARIA LAACH, Reg.-Bez. Koblenz. Zweichörige Basilika, Benediktiner-Abtei, 1093 begründet, mit zwei Querschiffen, zwei Zentraltürmen und einer besonders schönen Vorhalle, die nach Art eines Kreuzgangs angelegt ist (erst 1220-1230 angebaut). 1156 wurde das Langhaus geweiht, der Ausbau des Ostchors später. Siehe Seite 14. — Querschnitt Seite 163.

MARIENBURG, Westpr. Schloß des Deutschen Ritterordens. Seit 1309 Sitz des Hochmeisters und der Hauptverwaltung des Ordens. Mächtiger gotischer Bau. Von 1457-1772 in polnischem Besitz. Die Verteidigungswerke verfielen. Wiederhergestellt im 19. Jahrhundert. Siehe Seite 14.

MASSYS, Quinten, um 1466 in Löwen geb., gest. 1530 in Antwerpen. Vieles in seiner Malweise, vor allem die Zartheit, erinnert an Dirk Bouts, und doch ist sein Lebenswerk ganz aus der Weltanschauung der Renaissance entstanden. Auch als Bildnismaler ist er hervorgetreten, nicht nur in allegorischen und religiösen Gemälden. Seine Hauptwerke der Annenaltar in Brüssel und der Johannesaltar in Antwerpen.
Abb. Madonna, Berlin, Seite 115.

MAULBRONN, Württ. Ehemalige Zisterzienser-Abtei, Klosterkirche. 1178 geweiht. Ursprünglich flachgedecktes, von quadratischen Pfeilern getragenes Langhaus. In gotischer Zeit 1424 mit einem Netzgewölbe versehen, das wenig zu dem Gesamteindruck paßt. Eine eigentliche Vierung nicht vorhanden, da die beiden Arme des Querschiffs mit je 3 Kapellen nur sehr schmal gebaut sind. Auf der Nordseite der Kirche anschließend die Klostergebäude mit dem Kreuzgang.

Abb. Inneres, Seite 64 Gu

„ Brunnenkapelle im Kreuzgang, Seite 70 Gu.

MAURSMÜNSTER (Elsaß). Ehem. Benediktinerklosterkirche. Ursprünglich flachgedeckte Basilika aus dem 9. Jahrhundert, im 13. Jahrhundert von Osten nach Westen frühgotisch neu aufgebaut. Der Westbau blieb erhalten, wie er im 12. Jahrhundert geschaffen war. Eine der mächtigsten eigenartigsten Fassaden der romanischen Stilepoche.

Abb. Seite 48 St.

MEISSEN, Schloß. Zusammen mit dem Dom eine einheitliche Anlage. Das Schloß selbst 1471-1485 erbaut. Der älteste Schloßbau, den wir kennen, da man sonst in gotischer Zeit nur Burgen baute. Einzelne Teile in der Renaissance hinzugefügt. Siehe Seite 14.

Albrecht Dürer

MEMLING, Hans, geb. 1433 zu Mömlingen bei Aschaffenburg, gest. 1494 zu Brügge. Zunächst in Köln, wohl Schüler des Stephan Lochner, später teilte er mit Roger van der Weyden das Atelier. Mit 30 Jahren bereits ein anerkannter Meister. In erster Linie durch seine Madonnenbilder bekannt. Seine berühmtesten Werke in Belgien und den Niederlanden, so im Johanneshospital in Brügge, ein Flügelaltarbild, die Anbetung der Heiligen Drei Könige, und der sogenannte St.-Ursula-Schrein mit Darstellungen der Legende von den 11000 Jungfrauen. Er hat auch schon

Bildnisse gemalt, nicht nur Stifterbilder. Etwa 30 Porträts nachweisbar.

Abb. Jüngstes Gericht, Berlin, Seite 128.

MERCIER, Pierre. Kam 1686 als Refugié nach Berlin, trat in die Dienste des Großen Kurfürsten und begründete eine Gobelin-Manufaktur. Übernahm 1714 die Leitung der Manufaktur Augusts des Starken in Dresden. 1729 dort gestorben.

Abb. Bildteppich, Berlin, Seite 159.

MICHELANGELO, Buonarroti, italienischer Bildhauer, Maler, Architekt und Dichter. Geb. 1475 in Caprese, gest. 1564 in Rom. Zugleich Exponent der italienischen Renaissance und der Begründer des Barock. Eine der umfassendsten Künstlerpersönlichkeiten, die es je gegeben hat. Von seinen Gemälden sind die Deckenfresken der Sixtinischen Kapelle, die er im Auftrage des Papstes Julius II. malte, die bekanntesten, von Skulpturen das Standbild des jugendlichen David in der Akademie zu Florenz, die Pietà in der Peterskirche zu Rom, die Figur des Moses in der Kirche San Pietro in Vinculi-Rom. Von Bauwerken ist die gewaltige Kuppel der Peterskirche in Rom, deren Vollendung er nicht mehr erlebte, sein bedeutendstes Werk. Siehe Seite 18.

MÜNCHEN, St.-Johann-Nepomuk-Kirche, 1733 von den Gebr. Asam auf beschränktem, schmalem Grundriß erbaut. Der gedrückte Raum entspricht nicht dem Raumgefühl des Barock. Die in verschwenderischer Fülle durchgeführte Stuckarchitektur, Freskomalerei und Vergoldung, zugleich mit geheimnisvoll verdeckten Lichtquellen, erzeugen eine wunderbare Wirkung, die diese Kirche zu einem der berühmtesten Bauwerke des Barock gemacht hat.

Abb. Seite 67 Bi.

MÜNCHEN, Frauenkirche. 1468-1480 von Ganghofer aus Moosburg erbaut. Langgestreckte Hallenkirche mit Chorumgang und einem um die ganze Kirche herumgeführten Kapellenkranz. Äußerlich ein nüchterner Backsteinbau mit mächtigen Doppeltürmen, die 1488 bis zur heutigen Höhe aufgeführt, aber noch nicht gedeckt waren. Die eigenartigen Kuppeldächer bereits auf einem Stich aus dem Jahre 1530 zu sehen. Die Silhouette charakteristisch für das Stadtbild von München.

Abb. des Seitenschiffs Seite 76 Bi.

MÜNCHEN, Heilige-Geist-Kirche. Dreischiffige Hallenkirche mit Chorumgang. Ein Frühwerk von Jörg Ganghofer. Wurde 1724 von M. Schmidtgartner mit barocker Stuckdekoration überkleidet. Deckengemälde von C. Asam.

Abb. des Seitenschiffs Seite 77 Bi.

MÜNCHEN, St.-Michael-Hofkirche. 1583-1588 erbaut, nach Einsturz eines Teiles 1597 vollendet. Ein für den Kirchenbau Süddeutschlands maßgebender Bau, dessen Durchführung in Grundriß und Raumgefühl auf italienisches Vorbild zurückgeht. Das Innere ein mächtiger Saal mit Tonnengewölbe und Seitenkapellen im Langhaus. Fassade rein deutsch.
Abb. Äußeres, Seite 45 St
   „   Inneres, Seite 66 Bi.

MÜNCHEN, Bayrisches Nationalmuseum
St. Katharina, Seite 90 St
Porträtbüste Hagenauer, Seite 108 St
Madonna von Leinberger, Seite 95.

MÜNCHEN, Bayrisches Nationalmuseum. Thronender Christus aus Reichenbach Oberpfalz. Um 1220-1230. Kalkstein (Kehlheimer Marmor). Höhe 128 cm. Kopf beschädigt. Geringe Spuren alter Bemalung. Gefunden 1884 im Kreuzgang der ehemaligen Benediktinerabtei Reichenbach. Die Figur stellt den Rest eines Zyklus dar, die anderen Figuren sind jedoch nicht gefunden worden.
Aufnahme: Marburg
Abb. Seite 92.

MÜNCHEN, Bayrisches Nationalmuseum. Maria in der Hoffnung. Um 1520. Bayrischer Meister. Wandfigur, im alten Schrein stehend. Lindenholz mit alter Fassung. Höhe 1,19 m. Das Werk stammt aus Neumarkt a. d. Rott.
Aufnahme: Bayrisches Nationalmuseum
Abb. Seite 107.

MÜNCHEN, Alte Pinakothek
Barthel Bruyn, Beweinung, Seite 126
A. van Dyck, Selbstbildnis, Seite 138
A. van Dyck, Madonna, Seite 115
Rembrandt, Kreuzabnahme, Seite 125
P. P. Rubens, Doppelporträt, Seite 145
M. Wolgemut, Kreuzabnahme, Seite 124.

MÜNSTER, Dom St. Peter, Unter den Domen Westfalens der größte, 1225 begonnen, 1265 geweiht. Der ältere Bau aus ottonischer Zeit stand weiter nordwärts. Er wurde erst 1377 abgebrochen. Die ältesten Teile in rauhem Bruchstein. Das Langhaus von wunderbarer Raumwirkung. In mehreren Giebeln große Rundfenster.
Abb. Rundfenster, Seite 53 Bi.

MÜNSTER in Westf., Lambertikirche. Um 1400. Turm erst vom Ende 19. Jahrhundert. Hallenkirche.
Aufnahme: Rösch
Abb. Seite 59.

MÜNSTER, Rathaus. Von der ersten Anlage (um 1200) noch Bruchsteinwände in der Ratskammer erhalten. 1335 ist die heutige Fassade entstanden. Am Giebel im 15. Jahrhundert einige unwesentliche Änderungen.
Abb. Seite 38.

MÜNSTER, Erbdrostehof 1754-1757 von J. K. Schlaun erbaut.
Abb. Seite 37.

MÜNSTER, Stadtweinhaus, neben dem Rathaus gelegen. Ein schöner Renaissancebau, in Größe und Aufbau ähnlich dem Rathaus, aber ein seltsamer Kontrast des Stilunterschiedes. 1615 von Bocholt erbaut. Mit einem besonders schönen Portalvorbau in reinster Renaissance. Siehe Seite 16.

MURILLO, Bartholomé Estêban, geb. 1617 in Sevilla, gest. 1682. Spanischer Maler von Weltruf, Zeitgenosse des Velazquez. Gemälde von ihm in allen großen Galerien Europas, unter ihnen Madonnenbilder in Madrid und im Louvre von großem Ruf. M. hat auch volkstümliche kleinere Bilder gemalt, die seinen Namen bekanntgemacht haben, darunter den Melonenesser in der Pinakothek in München. Siehe Seite 18.

NAUMBURG, Dom St. Peter und Paul. Spätromanischer Bau, der oft mit Bamberg verglichen wird, aber rund dreißig Jahre jünger ist. Eine doppelchörige, romanische flachgedeckte Basilika, 1044 geweiht, im 13. Jahrhundert neu aufgeführt. Der älteste Teil, die Krypta, im Ostchor unter der Vierung, entstand um 1200, Querschiff, Langhaus, die beiden Westtürme in der 1. Hälfte des 13. Jahrhunderts. Der Westchor nach 1250 erbaut, der Ostchor nach 1280 rein gotisch verlängert. Die östlichen Türme, quadratisch bis zur Höhe des Dachgesimses, rein romanisch, dann achteckig gotisch fortgesetzt, in barocken Kuppeln endigend. Die Westtürme Nachahmung der Bamberger Türme, die wiederum auf Laon zurückgehen. — Die Raumwirkung sehr eindrucksvoll. Besonders schöne Bündelpfeiler und prachtvolle Kapitelle an den Säulen. Das Innere reich an Skulpturenschmuck, von denen die Stifterfiguren des Westbaus von großer Bedeutung sind, unter ihnen Dietrich und Gepa, Hermann und Reglindis, vor allem aber Eckehard und Uta. Beide Chöre durch Lettner abgeschlossen, am westlichen Lettner die bekannte Kreuzigungsgruppe.
Abb. Eckehard, Stifterfigur, Seite 86 Bi
   „   Uta,   „   Seite 91 Bi.

NEUMANN, Johann Balthasar, geb. 1687 in Eger, gest. 1753 in Würzburg. Einer der Hauptbaumeister des deutschen Barock. Ursprünglich in militärischem Dienst. Seit 1720 leitete er den Bau des Schlosses in Würzburg, baute das Schloß in Werneck und das Treppenhaus des Schlosses zu Bruchsal. Von seinen Kirchenbauten sind die Wallfahrtskirche in Vierzehnheiligen und die Benediktinerklosterkirche Neresheim von größter Bedeutung. Der gleiche phantasievolle Gestaltungswille, der die geschwungenen Räume dieser

Kirchen geschaffen hat, kommt auch in der kleinen Schön-bornkapelle am Dom zu Würzburg zum Ausdruck.
Abb. Augustinerkirche Würzburg, Seite 75
  „   Wallfahrtskirche Vierzehnheiligen, Seite 63
  „   Schloß Werneck, Seite 35
  „   Grundriß Vierzehnheiligen, Seite 29.

NEUSTIFT bei Freising (Oberbayern). Ehemalige Prämon-stratenser-Klosterkirche, 1140 gegründet, 1712 neu erbaut. Einschiffiger Barockbau mit Seitenkapellen, dessen Hoch-altar mit plastischen Figuren Ignaz Günther schuf.
Abb. Apostel Paulus von Günther, Seite 87 St.

NÜRNBERG, Frauenkirche. Eine Stiftung Karls IV. Der älteste gotische Hallenbau in Franken. 1355-1361 erbaut, mehrfach restauriert. Die Front am Hauptmarkt durch eine prächtige Vorhalle, das „Paradies", und mit Figurenschmuck reich verziert. Über der Vorhalle die erkerartige Michael-kapelle von Adam Kraft 1506 erneuert. Das Innere von besonders glücklichem Raumgefühl.
Abb. Äußeres, Seite 44 St.

NÜRNBERG, Germanisches Nationalmuseum
Veit Stoß, Madonna vom Hause des Veit Stoß, Seite 88
  „   „   Madonnenkopf, Seite 103 St
Madonna, Schule Ignaz Günther, Seite 103
Madonna, Seite 89
Hl. Sebastian vom Peringsdorfer Altar, Seite 113
Heilige, Seite 91
Apostel Andreas, Seite 105
Spielteppich, Seite 158.

NÜRNBERG, Pellerhaus, 1605 von Jakob Wolff d. Ä. Viel-leicht der vornehmste bürgerliche Renaissancebau Deutsch-lands. Besonders schön die Anlage des Hofes mit drei-stöckiger Bogenhalle.
Abb. Seite 37.

NÜRNBERG, Rathaus. Ein umfangreicher Gebäudekomplex, dessen ältester Teil, ein mächtiger Saal von fast 40 m Länge mit einer hölzernen gewölbten Decke, aus gotischer Zeit stammt (1333-1340). Ein späteres Wandgemälde nach Dürerschem Entwurf. Der Ostteil von Beheim 1528, der Westbau am Rathausplatz von Jakob Wolff d. J. 1616-1622, beide im Stil der Renaissance. Siehe Seite 16.

NÜRNBERG, St.-Sebald-Kirche. Die älteste Pfarrkirche Nürn-bergs. Der romanische Westbau mit der Löffelholzkapelle und der Krypta 1256 vollendet, aber erst 1273 geweiht. Auch das Langhaus ursprünglich eine romanische Basilika mit später hinzugefügten gotischen Bögen. Die Seitenschiffe wurden 1370 über die Breite des Mittelschiffs hinaus ver-

größert und im frühgotischen Stil umgebaut. Der Ost-chor (Sebalduschor) mit polygonalem Umgang 1361-1372 als Hallenchor angebaut. Er überragt das Mittelschiff be-trächtlich. An seiner Außenseite das Schreyersche Grab-mal, eines der Hauptwerke von Adam Kraft. Am Portal des südlichen Seitenschiffs die entzückende Figur der heiligen Katharina. Im Inneren das Sebaldusgrab, Peter Vischers berühmtes Meisterwerk.
Abb. Apostel Paulus vom Sebaldusgrab, Seite 87
  „   St. Katharina, Seite 90
  „   Sebaldusgrab, Seite 31.

OBERZELL bei Würzburg. Prämonstratenserklosterkirche, ge-gründet 1128. Romanische Säulenbasilika. Mitte des 17. Jahr-hunderts wurde das Langhaus eingewölbt. 1692-1720 barock verputzt, selbst die romanischen Würfelkapitelle mit Stuck überkleidet. Die wunderbare romanische Raumwir-kung auch unter der Barockverkleidung deutlich erkennbar. Die zugehörigen Klostergebäude von Balthasar Neumann.
Abb. Seite 75 Gu.

ORLEY, Bernhard van, geb. 1491 in Brüssel, gest. 1541 ebenda. Porträt- und Kirchenmaler, entwarf auch Bildteppiche und Glasgemälde. Von seinen Zeitgenossen als der niederlän-dische Raffael sehr hoch geschätzt, aber später in der An-erkennung gesunken.
Abb. Kreuzabnahme, Seite 124.

PACHER, Michael, Maler und Bildschnitzer, geb. 1435 zu Brixen, gest. um 1498 zu Bruneck in Tirol. Seine Altar-werkstatt im ganzen Alpengebiet von großem Ruf. Sein berühmtestes Werk der geschnitzte Hochaltar von St. Wolf-gang im Salzkammergut, 1481, mit Gemälden auf Holztafeln, die Krönung Marias darstellend. Auch der St.-Michaels-Altar der Stadtkirche Bozen und der Hochaltar der Franziskanerkirche in Salzburg, der Anfang des 18. Jahr-hunderts abgerissen wurde, sind von seiner Hand. Von dem letzteren ist nur die Madonna, aber nicht das Kind auf ihrem Schoße erhalten. Dieses ist im 19. Jahrhundert neu hinzu-gefügt worden.
Abb. Altar St. Wolfgang, Seite 72.

PADERBORN, Diözesan-Museum. Madonna. Lindenholz, 112 cm hoch. Gestiftet von Bischof Imad von Paderborn, wahrscheinlich schon vor dem Dombrand von 1058. Ursprünglich bis auf Gesicht und Hände mit Goldblech über-zogen, das 1762 für Kontributionszwecke eingeschmolzen wurde. Von der störenden Übermalung des 19. Jahrhunderts jetzt gereinigt. Die Hände ergänzt. Der mit Silber über-zogene Sessel nach vorhandenen Resten später erneuert.
Aufnahme: Bissinger, Erfurt
Abb. Seite 111.

PADERBORN, Dom. Wurde als romanische Basilika begonnen, 1267 als frühgotische Hallenkirche zu Ende geführt. Das Prunkstück des Domes ist die romanische Paradiespforte, ein Figurenportal mit offener Vorhalle am westlichen Querschiff.
Abb. Madonna vom Paradiesportal, Seite 88.

PADERBORN, Rathaus. Ein interessanter Bau, der, typisch für die Renaissance, sich großer Berühmtheit erfreut und völlig eigenen Charakter trägt. Auf alten Grundmauern 1550-1612 erbaut.
Abb. Seite 39.

PALAS (lateinisch), der Hauptteil der mittelalterlichen Burg.

PALMETTE (französisch), Ornament in der Form von Palmblättern aus der griechischen Antike. Kehrt in der Renaissance vielfach wieder.

PANNEMAKER, Willem. Aus einer niederländischen Wirkerfamilie. Hat von 1517-1558 zusammen mit seinem Vater Pieter P. zahlreiche Bildteppiche nach Kartons von Bernhard van Orley, auch nach Dürerschen Stichen und anderen Motiven im Auftrage Kaiser Karls V. und des Herzogs von Alba gearbeitet.
Abb. Gobelin, Berlin, Seite 157.

PARIS, Notre Dame. Grundsteinlegung um 1163. Die Fassade wurde etwa 1200 begonnen und um 1235 fertiggestellt. Der erste rein gotische Bau, der für die Fortentwicklung der Gotik grundlegend gewesen ist.
Abb. Seite 48.

PARIS, Louvre
Lionardo da Vinci, Mona Lisa, Seite 135
P. P. Rubens, Madonna im Engelkranz, Seite 117.

PATINIER, Joachim, geb. 1485, gest. 1524 in Antwerpen. Begründer der Landschaftsmalerei, obgleich er nicht bewußt einen neuen Zweig der Malerei hat schaffen wollen. Er verwendete noch immer Staffage, aber die Landschaft gewinnt bei ihm mehr und mehr an Bedeutung. Bei der Überfülle der dargestellten Details, die sich kulissenartig nach dem Hintergrunde zu auftürmen, vermißt man den Sinn für Perspektive.
Abb. Hirschjagd, Berlin, Seite 152.

PELLERHAUS, Nürnberg, Abb. Seite 37.

PENIG, Sachsen. Liebfrauenkirche, um 1250 erbaut, mit einem großen Altar aus Stein von Christoph Walter aus dem Jahre 1564, geschmückt mit zahlreichen Alabasterreliefs.
Abb. Altar, Seite 73 St.

PERMOSER, Balthasar, geb. 1651 in Kammer bei Otting (Chiemgau), gest. 1732 in Dresden. Bildhauer. In der Lehre bei einem Bildhauer in Salzburg. 14 Jahre Aufenthalt in Italien, 1689 durch Kurfürst Johann Georg III. von Sachsen nach Dresden berufen, wo er bis zu seinem Tode, 43 Jahre lang, blieb. Viele Statuen von ihm in Dresden.
Abb. Kanzel in der Hofkirche Dresden, Seite 69.

PIETÀ (italienisch), deutsch Vesperbild genannt, Darstellung der Maria mit dem Leichnam Christi. Erst im 14. Jahrhundert in Deutschland aufgekommen.
Abb. Seiten 96-97.

PIETERSEN, Ärt, geb. 1550 in Antwerpen, gest. 1612 in Amsterdam. Von ihm nur wenige Bilder erhalten, darunter die Kompagnie des Kapitäns Jan Philipps, eines der üblichen Schützenstücke, wie sie damals gemalt wurden; in der gleichen Weise die Anatomie des Dr. Egbertsz. Die einzelnen Porträtköpfe gut, aber die Figuren in starrer Haltung nebeneinander aufgereiht.
Abb. Seite 146.

POLYGONAL (griechisch), vieleckig; Polygon, Vieleck.

PÖPPELMANN, Math. Daniel, geb. 1665 in Herford, gest. 1736 in Dresden. Architekt, ab 1718 an dem Wiederaufbau des abgebrannten Dresdens beteiligt. Berühmt durch den Bau des Zwingers (1709-1719), der durch die Leichtigkeit und graziöse Formensprache die später allgemein gewordene Verfeinerung vorwegnahm; er wird deshalb oft auch schon als Rokoko bezeichnet.

PRAG, Altstädter Brückenturm auf der rechten Seite der Moldau an der Karlsbrücke. Der schönste gotische Turm Prags. Um 1390 erbaut. Über dem Bogen das Standbild des heiligen Sigismund, daneben sitzend rechts und links Karl IV. und Wenzel IV.
Abb. Seite 42 St.

PRAG, Dom St. Veit. 1344-1385 von Peter Parler aus Schwäbisch-Gmünd erbaut. Der Weiterbau seit den Hussitenkriegen eingestellt. Erst in der Renaissance (um 1563) vollendet. Der Chor dreischiffig mit Umgang und Kapellenkranz. Mit vielen bedeutenden Grabdenkmälern, unter ihnen das Grabmal des heiligen Johann von Nepomuk. Siehe Seite 14.

PRENZLAU, St.-Marien-Kirche. Der älteste Teil aus der 2. Hälfte des 13. Jahrhunderts. Der Unterbau aus Granitquadern, darüber Ziegelbau. Mächtige Hallenkirche mit Kreuzgewölbe. Der größte Teil des Langhauses aus der Mitte des 14. Jahrhunderts. Siehe Seite 14.

PRESBYTERIUM (griechisch), der den Priestern vorbehaltene Raum in der Kirche.

QUEDLINBURG im Harz. Stiftskirche St. Servatius. Ursprünglich Gründung Heinrichs I., der in der Krypta 936 beigesetzt wurde. Unter der Enkelin Heinrichs I., Mathilde, 1021 erbaut, 1070 niedergebrannt und in der heutigen Gestalt neu errichtet. Die Arkaden stammen noch von dem alten Bau. Der Chor 1321 gotisch umgebaut.
Abb. Seite 80 Bi
  „ Grundriß Seite 26.

RAFFAEL (Raffaelo Santi), geb. 1483 in Urbino, gest. 1520 in Rom. Schüler des Perugino, überragte seinen Meister aber sehr bald, wenn sich auch Stil und Einfluß seines Lehrers aus seinem ganzen Lebenswerk nicht fortdenken lassen. Von 1504-1508 in Florenz. Hier entstand auch die Madonna terranuova, später im Kaiser-Friedrich-Museum Berlin. Anschließend hat er eine Reihe von Madonnenbildern gemalt, von denen die Madonna im Grünen in Wien und die Madonna mit dem Stieglitz in Florenz die schönsten sind. 1508 ging er nach Rom, wo er im Auftrage des Papstes Julius II. die weltberühmten Fresken der Camera della Segnatura und andere, im ganzen 52 Deckenbilder, in erster Linie biblische Szenen, malte. R. starb bereits mit 37 Jahren. Neben Mozart, der mit 35 Jahren starb, vielleicht das größte künstlerische Phänomen, das je existierte.
Abb. Madonna terranuova, Ausschnitt Seite 119.

REGENSBURG, Dom St. Peter. 1275 nach einem Stadtbrande begründet. Teile des früheren romanischen Doms haben aber noch lange Zeit gestanden; der Nordturm steht noch heute, auf dem Bilde Seite 52 vom Chor aus ganz rechts zu erkennen. Zur Fundamentierung des nördlichen Turms mußte die Taufkirche St. Johann abgerissen werden. Seit 1456 Conrad Roritzer Dombaumeister, der in Nürnberg den Chor der St.-Lorenz-Kirche aufgeführt hatte. Das Innere des Doms entspricht der einheitlichen Schönheit des Äußeren.
Abb. Frontfassade, Seite 51
  „ Chor, Seite 52 St
  „ Inneres, Seite 65 Bi.

REIMS (Frankreich), Kathedrale, 1210-1247 erbaut. Mit einer überaus reichen Fassade, die erst gegen Ende des 14. Jahrhunderts vollendet wurde. Die Bildwerke der Kathedrale von Reims haben zusammen mit denen der Kathedrale von Amiens als Vorbild für viele Bildwerke in Deutschland gedient.

RELIEF (französisch), bildmäßige Darstellung, die Teile des Bildes plastisch aus der Fläche hervortreten läßt, aber nicht die volle Rundung wiedergibt. Man unterscheidet Bas- oder Flachrelief und Haut- oder Hochrelief, je nachdem, ob die Figuren stärker hervortreten oder flacher gearbeitet sind. Eine schon in der Antike sehr gebräuchliche Art plastischer Arbeit.

RELIQUIAR (lateinisch), Behältnis zur Aufbewahrung einer Reliquie, meist kostbar ausgestattet. Kunstgewerblich, auch künstlerisch. Vielfach im Domschatz romanischer und gotischer Kirchen. Dreikönigsschrein in Köln, Prunkschrein in Aachen, Seite 14.

Rembrandt

REMBRANDT VAN RIJN, geb. 1607 bei Leyden, gest. 1669 in Amsterdam, wohin er 1630 übersiedelte. Dort erregte er bald großes Aufsehen, vor allem mit der „Anatomie des Dr. Tulp" (1632), heute im Haag. R. verließ die bis dahin übliche Art, bei Gruppenbildern die Personen steif nebeneinanderzureihen, und vereinigte sie zu einer handelnden Gruppe. Die Aufmerksamkeit der dargestellten Personen ist in stärkster Konzentration ganz auf den Vortrag gerichtet. Mit einem Schlage wurde R. der gesuchteste Bildnismaler seiner Zeit. Aufträge und Reichtum strömten ihm zu. Er heiratete die häufig von ihm gemalte Saskia. Auf der Höhe seines Ruhms erhielt er 1642 den Auftrag, die Kompagnie des Kapitäns Baning-Kok zu malen, und jede der auf dem Bilde dargestellten Personen zahlte 100 Gulden im voraus. An dem fertigen Werk bemängelten die Auftraggeber, von denen bis auf zwei Personen im Vordergrund die meisten schwer erkennbar sind, enttäuscht die eigenmächtige Ausführung, die dem Zweck der porträtmäßigen Darstellung widersprach. Fast 100 Jahre blieb das Bild unbeachtet. Es vernichtete Rembrandts Ruf auf Jahre hinaus. Heute gilt es als eines seiner bedeutendsten Werke. Den großen Unterschied der neuartigen Lösung zu den bis dahin üblichen Schützenbildern zeigt der Vergleich (siehe Seiten 148-149). Einen wirklichen Begriff von der faszinierenden Wirkung der Farbe kann eine Schwarzweißwiedergabe des Bildes nicht geben. — Völlig in seine Kunst vertieft, verstand R. es nicht, den erworbenen Besitz zu halten, mehr und mehr ging es mit ihm bergab, bis 1652 der völlige Bankrott folgte. 1661 schuf er noch einmal ein vielbewundertes Gruppenbild, die „Staalmeesters", ein Gemälde, das seinen wunderbaren Ton leider völlig einbüßte, als man 1924 den bräunlichen Firnis abwusch, um es aufzufrischen. Die Nachtwache wurde 1947 ebenfalls abgewaschen und büßte dabei auch den eigentümlichen Goldton des nachgedunkelten Firnisses ein. Dafür strahlt aber das Licht leuchtender als je, und man erkennt deutlich, daß die Bezeichnung „Nachtwache" unberechtigt ist, das Bild ist vom hellen Sonnenlicht durchflutet. Rembrandt hat etwa 700 Gemälde, darunter viele Porträts, Selbstporträts und Historienbilder, sowie 250 Radierungen geschaffen, die in allen Museen der Welt als Höhepunkte der Sammlung

Rembrandt

geachtet werden. In Kassel allein sind 29, in München 18 Bilder von ihm. — Die Eindruckskraft Rembrandts hat kein Maler vor oder nach ihm wieder erreicht.
Abb. Anatomie, Haag, Seite 146-147
  „   Bärtiger Mann, Kassel, Seite 143
  „   Kreuzabnahme, München, Seite 125
  „   Nachtwache, Amsterdam, Seite 149.

RIDDAGSHAUSEN bei Braunschweig, Kirche. Madonna. Um 1270. Stein, etwa lebensgroß.
Aufnahme: Staatliche Bildstelle
Abb. Seite 111.

RIEMENSCHNEIDER, Tilman, Bildhauer, geb. 1460 in Osterode am Harz, gest. 1531 in Würzburg, wo er Ratsherr und Bürgermeister war. Der Hauptmeister der deutschen Spätgotik. Seine Figuren bringen in den asketischen Gesichtern und der ganzen Haltung tiefinneren Ernst und religiöse Lebensauffassung zum Ausdruck. Ein seltsamer Gegensatz zwischen seinen Figuren und denen des Veit Stoß, die sich daneben strotzend von Lebenskraft und Lebensfreude ausnehmen. Das Grabmal Eberhards von Grumbach in der Pfarrkirche zu Rimpar ist das älteste von ihm bekannte Werk. Das Grabmal des Fürstbischofs Rudolf v. Scherenberg im Dom zu Würzburg zeigt R. schon auf der Höhe seines Könnens. Der Marienaltar Creglingen, der Blutaltar in St. Jacob zu Rothenburg ob der Tauber seine bekanntesten Werke.
Abb. Leuchterengel, Rothenburg, Seite 93.

ROTHENBURG ob der Tauber (Mittelfranken), Stadtkirche St. Jacob, begründet 1373, im 15. Jahrhundert erweitert. Gotische Basilika mit herrlichen Altären, von denen der südliche aus der Heilige-Blut-Kapelle (1499-1505) stammt (Blutaltar). Die Skulpturen von Riemenschneider aus Lindenholz, nur an einzelnen Stellen lasiert, aber ohne Bemalung.
Abb. Leuchterengel, Seite 93 Gu.

ROTTENHAMMER, Johann, geb. 1564 zu München, gest. 1623 in Augsburg. In Italien ausgebildet, ließ er sich später in München und Augsburg nieder. R. malte meistens kleine, zart ausgeführte Bilder, allegorische Gemälde, eine Amazonenschlacht, das Jüngste Gericht, Apotheose der heiligen Katharina und andere. Siehe Seite 18.

ROSTOCK, St.-Marien-Kirche. Mächtige Hallenkirche, Ende 13. Jahrhunderts erbaut, aus gelben Ziegeln, schichtweise mit grün-glasierten wechselnd. Der unvollendet gebliebene Turm aus roten Backsteinen. Chor mit Umgang und Kapellenkranz. Siehe Seite 16.
Grundriß des Kapellenkranzes Seite 165.

RUBENS, Peter Paul, der bedeutendste Maler der flämischen Schule, geb. 1577 in Siegen in Westfalen, gest. 1640 in Antwerpen. Ging zunächst nach Italien, kehrte 1608 zurück und wurde 1609 Hofmaler des Statthalters der Niederlande. Von 1620 bis 1630 wiederholt in diplomatischem Auftrage in Paris und London. Aus dieser Zeit stammt die Folge der berühmten Historienbilder aus dem Leben der Maria von Medici, die sich im Louvre befinden. Rubens hat Landschaften und Porträts gemalt, mythologische Szenen und Altarbilder, Liebesgärten und Bauerntänze, lebensfrohe

Kinder als Engel mit Früchten und den Höllensturz der Verdammten. Je stärker die Bewegung, je üppiger die Körper, je leuchtender die Farbenpracht, desto mehr war er in seinem Element. Von den vielen Gemälden, die seinen Namen tragen, ist eine ganze Reihe von Schülern ausgeführt, aber immer hat Rubens es verstanden, oft nur durch wenige Striche allen diesen Bildern so sehr seinen Stempel aufzudrücken, daß man staunend auch vor den Schülerarbeiten steht. Er hat etwa 1000 Bilder hinterlassen, von denen sich 73 in Wien, 100 in Antwerpen, 62 in Madrid, 54 in Petersburg und eine ganze Anzahl in London und München befinden.

Abb. Anbetung der Könige, Antwerpen, Seite 121
  „   Beweinung, Wien, Seite 127
  „   Jüngstes Gericht, München, Seite 129
  „   Judith, Braunschweig, Seite 133
  „   Kinderbild, Wien, Seite 140
  „   Helene Fourment, Schloß Windsor, Seite 135
  „   Kreuzigung, Antwerpen, Seite 123
  „   Madonna, Brüssel, Seite 119
  „   Madonna im Engelkranz, Paris, Seite 117
  „   Die Söhne des Künstlers, Wien, Seite 141
  „   Hl. Sebastian, Berlin, Seite 113.

RUISDAEL, Jacob van, geb. 1628 in Haarlem, gest. 1682. Der bedeutendste holländische Landschaftsmaler, der immer mit gleicher Meisterschaft die unendliche Fläche der heimatlichen Landschaft malte, trübe Kanäle, Wassermühlen, Wasserfälle, Stadtansichten, Kirchhöfe, Klöster und Schlösser.
Abb. Landschaft mit Windmühle, Seite 153.

SANDRART, Joachim von, Maler und Kupferstecher. Geb. 1606 in Frankfurt a. M., gest. 1680 in Nürnberg. Malte Kaiser Ferdinand III. Seine Gemälde meist in bayrischen Galerien und Kirchen, einige auch in Wien. Siehe Seite 18.

SCHÄUFFELIN, Hans Leonhard, geb. vor 1490 in Nürnberg, gest. 1540. Schüler von Dürer. Viele seiner Bilder wurden als Dürersche Arbeiten ausgegeben. Seine Werke in süddeutschen Kirchen und Galerien. War auch als Zeichner für Holzschnitte tätig. Man kennt allein 240 Holzschnitte von ihm.
Abb. St. Sebastian, Seite 113.

SCHLÜTER, Andreas, Bildhauer und Architekt, geb. 1664 in Hamburg, gest. 1714 in Petersburg. 1694 nach Berlin berufen. Die Helme an der Fassade des Zeughauses und vor allem die Masken sterbender Krieger im Lichthof bekannt. Begann 1698 den Umbau des Berliner Schlosses. 1703 schuf er das Denkmal des Großen Kurfürsten auf der Langen Brücke in Berlin, sein berühmtestes Werk. 1707 mußte er im Zusammenhang mit der Münzturmkatastrophe des vorhergehenden Jahres die Leitung des Schloßbaues an Eosander abgeben, der seine Pläne zum großen Teil abänderte. 1713 begab Schlüter sich nach Rußland, wo er die Gunst des Zaren Peter in hohem Maße genoß.
Abb. Kurfürst Friedrich III., Seite 86
  „   Prinz von Homburg, Seite 109.

SCHMIDTGARTNER, Matthias. Nahm 1724-1730 den Umbau der Heilige-Geist-Kirche in München vor. Sonst wenig hervorgetreten. Dekoration und Deckengemälde beim Umbau von den Gebr. Asam.
Abb. Heilige-Geist-Kirche, Seite 77.

SCHONGAUER, Martin, geb. nach 1420 zu Kolmar oder Augsburg, gest. 1499. Seine Lebensdaten unsicher, da er mehrere Brüder gehabt hat, von denen drei Goldschmiede und einer Maler gewesen ist. Martin Schongauer zunächst Goldschmied, später Maler, Schüler des Roger van der Weyden. Von seinen sorgfältig ausgeführten Arbeiten mehrere in Kolmar, andere in den Museen in Brüssel, Madrid, Basel und München. Als Kupferstecher ist Schongauer der erste seiner Zeit.
Abb. Madonna, Kolmar, Seite 114.

SCHWÄBISCH GMÜND. Johanniskirche. Etwa 1210-1230. Romanische flachgedeckte Basilika. Grundriß und Aufbau einfach. Portal und Chor sind aus der Mittelachse herausgerückt. Im 15. Jahrhundert vieles umgebaut. 1869-1880 restauriert.
Abb. Äußeres, Seite 44 Wü
  „   Inneres, Seite 60 Wü.

SCHWAZ (Tirol), Franziskanerkirche und Kloster, 1507-1515. Spätgotische Halle mit hohem Giebel und polygonalem Chor ohne Turm. Im Inneren auf dem Kreuzaltar das berühmte Kruzifix von Loy Hering 1521, die übrigen Figuren aus der Barockzeit.
Abb. Christuskopf, Loy Hering, Seite 101 St
  „   Grundriß Chorbildung, Seite 165.

SIGMARINGEN, Fürstliche Galerie, Frauenporträt, Seite 134.

SPEYER, Dom St. Maria und St. Stephan. Der größte romanische Monumentalbau, in dessen Krypta mehrere Kaiser begraben liegen. 1689 wurde die Stadt durch Ludwig XIV. niedergebrannt, wobei auch der größte Teil des Doms zerstört wurde, so daß nur noch der Ostteil und Teile vom Langhaus erhalten blieben. Ende des 18. Jahrhunderts Wiederaufbau, Anfang des 19. Jahrhunderts Restaurierung. Siehe Seite 12.

STEINBACH, Erwin, Meister von, geb. 1244 zu Steinbach in Baden oder Straßburg, gest. 1318 zu Straßburg. Werkmeister des Straßburger Münsters. Vollendete 1275 die Innenwölbung des Hauptschiffes und begann 1277 mit dem Bau der berühmten Westfassade, deren Vollendung er aber nicht mehr erlebt hat. Siehe Abb. Seite 49.

STOSS, Veit, Bildhauer, geb. 1438 in Nürnberg, gest. 1533 ebenda. Tätig in Nürnberg, längere Zeit auch in Krakau. Einer der bedeutendsten Bildhauer seiner Zeit. Hat noch vieles mit der Gotik gemein, und doch entspricht der Kern seines Wesens der Renaissance. 1492 schuf er das Grabmal des Königs Kasimir Jagello in rotem Granit für die katholische Kirche von Gnesen und sein Hauptwerk, den Hochaltar der Marienkirche in Krakau. Sein schönstes Werk in Nürnberg der englische Gruß, neben zahlreichen anderen Skulpturen in der St.-Lorenz-Kirche.

Abb. Madonna vom Hause des Veit Stoß, Nürnberg, Seite 88
„ Madonnenkopf Heilsbronn, Nürnberg, Seite 103
„ Kruzifix, Heilbronn, Seite 99.

STRASSBURG, Münster. Wohl der schönste und edelste Zeuge mittelalterlicher deutscher Baukunst. Obwohl jahrhundertelang an ihm gebaut worden ist, von völlig einheitlichem Eindruck. Der fehlende Südturm gibt ihm eine eigene Note. Ein romanischer Bau von ungewöhnlich großen Ausmaßen, mit flacher Holzdecke, hatte vorher ein Jahrhundert lang an der gleichen Stelle gestanden. Der östliche Teil des Münsters wurde um 1176 noch in rein romanischen Formen neu begonnen. Chor, Querschiff und das doppeltürige Südportal stammen aus der Zeit vor 1233. Dann begann man in rein gotischen Formen den Bau des Langhauses und 1276 den Bau der Westfront, die Erwin von Steinbach entworfen, aber nur bis zur Höhe von etwa 20 m aufgeführt hat. Dann wurde nach neuen Plänen weitergebaut. 1399 wird Ulrich von Ensingen, der Erbauer des Ulmer Münsters, zur Fortführung berufen, um die unlösbar scheinende Aufgabe zu vollenden. E. entwarf den Nordturm und verzichtete bewußt auf die Ausführung eines entsprechenden Südturms. Nach seinem Tode vollendete Johann Hüls aus Köln 1439, wieder nach eigenem Entwurf, die abgestufte Pyramide des Helms. — Innen und außen birgt das Münster überreichen Skulpturenschmuck aus allen Bauperioden. Im romanischen Teil am meisten bekannt die Darstellung des Marientodes im Tympanon am Südportal, zu beiden Seiten Ecclesia und Synagoge. Im südlichen Querschiff der Gerichtspfeiler mit seinen Figuren. Aus dem gotischen Teil sind am bekanntesten die Figuren an den drei Westportalen, am südlichen Portal die klugen und törichten Jungfrauen, am nördlichen Teil die Tugenden und Laster, am Mittelportal die Propheten.

Abb. Westfassade, Seite 49 St
„ Romanisches Doppelportal, Seite 56 Bi
„ Gotisches Westportal, Seite 54 Bi
„ Rose der Westfassade, Seite 53 Ma
„ Kanzel, Hammerer, Seite 68 Bi
„ Prophetenkopf vom Gewände Mittelportal, S. 104 Ma.

STRALSUND, Rathaus. Monumentaler gotischer Bau, dessen ältester Teil schon 1278 stand. 1316 erweitert. Die Haupt-

front aus der 1. Hälfte des 15. Jahrhunderts. Über einer offenen Halle im Erdgeschoß im Obergeschoß ein großer Saal. Darüber ist die Fassade durch sechs mächtige Giebel einer freistehenden durchbrochenen Wand fortgeführt, um dem Bau eine repräsentative Schauseite zu geben. Siehe Seite 14.

STUTTGART, Altertümer-Sammlung, Maria, Seite 89 St.

STUTTGART, Altes Schloß. Größtenteils aus dem 16. Jahrhundert, der Südbau schon aus dem 14. Jahrhundert, im Unterbau noch älter. Um einen großen Hof (60 × 40 m) mit dreigeschossigen Lauben herumgebaut. Siehe Seite 18.

SYNAGOGE (griechisch), der jüdische Tempel. Siehe unter Ecclesia.

TENIERS, David, d. J., geb. 1610 in Antwerpen, gest. 1690 ebenda. Ein sehr fruchtbarer Maler, der Bauernhochzeiten, Kirchweihen, ländliche Feste naiv, aber wahr darzustellen wußte. Malte auch mit viel Humor Hexengeschichten, Alchimisten und Teufeleien. Nach seinen Gemälden allein 500 Blätter in Kupfer gestochen.
Abb. Volksbild, Wien, Seite 151.

THORN, Altstädter Pfarrkirche St. Johannes. Im wesentlichen aus dem 13. Jahrhundert. Die Marienkirche, spätgotische Hallenkirche, aus dem 14. Jahrhundert. Beides mächtige Ziegelbauten mit Sterngewölbe. Siehe Seite 14.

THORN, Altstädter Rathaus. Eine der imposantesten Rathausbauten des Ostens. Ziegelbau aus dem 14. Jahrhundert mit quadratischem Turm, der um 1250, ursprünglich freistehend, errichtet wurde. Siehe Seite 14.

TIEPOLO, Giovanni Battista, geb. 1693 in Venedig, gest. 1770 in Madrid. Berühmt durch die mit großem dekorativem Schwung gemalten Deckenbilder, bei denen er es verstand, die vorhandene Architektur in seinen Bildern so fortzuführen, daß man den Übergang nicht erkennen kann. 1750 bis 1753 malte er im bischöflichen Palais Würzburg Kaisersaal und Treppenhaus aus. Siehe Seite 18.

TORGAU, Schloß Hartenfels. Eines der bedeutendsten Renaissanceschlösser Deutschlands, auf Resten aus dem 13. Jahrhundert im 16. und Anfang des 17. Jahrhunderts erbaut. Am bedeutendsten die Hoffront von Konrad Krebs, 1533-1535, mit besonders schönem Erker an der Nordseite und dem an der Südseite aufsteigenden schlanken Turm. Siehe Seite 16.

TRIER, Dom. Ein ungewöhnlicher Bau, Grundriß und Form durch den römischen Kern (Ende des 4. Jahrhunderts) bestimmt. Ursprünglich quadratischer Zentralbau von 40 m Seitenlänge, bei der Erweiterung von 1120-1124 in einen Langbau verwandelt. Der Ostchor aus dem 12. Jahrhundert,

das Langhaus Anfang des 13. Jahrhunderts eingewölbt. Im 18. Jahrhundert ist das Querschiff angelegt und vieles verändert worden. Im Inneren vor allem eindrucksvoll der romanische Chor und in ihm der barocke Hochaltar (1700) von J. Fröhlicher, mit eigentümlicher Treppenanlage zur Ausstellung des heiligen Rocks. An der Südseite des Doms der Kreuzgang.
Abb. Kreuzgang, Seite 79 Bi
„ Kanzel, Ruprich Hoffmann, Seite 69 Bi
„ Chor und Altar, Seite 74 Bi.

TRIER, Früheres Erzbischöfliches Palais. Der Südflügel unter Erzbischof Philipp von Waldersdorf 1754-1768 von Johannes Seitz, einem Schüler Balthasar Neumanns, erbaut.
Aufnahme: Staatliche Bildstelle
Abb. Seite 39.

TRIPTYCHON (griechisch), ein aus drei zusammenhängenden Tafelbildern bestehendes Gemälde, wie es für Flügelaltäre im Mittelalter üblich war.

TÜBINGEN, Schloß. Ein stolzer Bau, ursprünglich aus dem 11. Jahrhundert. 1507 umfassender Umbau im Stil der Renaissance. 4 Flügel um einen großen Hof, 40 × 65 m, mit Wendeltreppen in den Ecken. Am schönsten die Nordostfront und die 1606 von Kelle erbaute Front der Vorburg. Siehe Seite 16.

TUMBA (lateinisch), sargartiges Grabdenkmal.

TROGER, Paul, Maler, geb. zu Zell im Pustertale 1698, gest. 1777 in Wien. Studierte in Italien und wurde nach seiner Rückkehr nach Wien bald zu einem der berühmtesten Künstler Österreichs, der viele und gute Altarbilder hinterlassen hat.
Abb. Himmelfahrt Mariae, Berlin, Seite 131.

TYMPANON (griechisch), Giebelfeld über Tür oder Fenster, häufig durch Reliefs ausgeschmückt. Siehe Abb. Seite 54, 56, 110, 111.

ULM, Münster Unserer Lieben Frauen. Nach dem Kölner Dom die größte Kirche Deutschlands. Innere Länge 123 m. Ursprünglich als Hallenkirche 1377 begonnen, von Heinrich und Michael Parler fortgesetzt und unter der Bauführung Ulrichs von Ensingen als Basilika in ihren mächtigen Ausmaßen ausgeführt. Der gewaltige Turm ist trotz der reichen Gliederung in der Silhouette einfach. Stärker als der Stephansdom und schlanker als die Türme des Kölner Doms. Vielleicht nicht nur der höchste, sondern auch der schönste gotische Turm Deutschlands, der erst im 19. Jahrhundert, nach jahrhundertelanger Unterbrechung, mit geringen Abänderungen des ursprünglichen Planes vollendet worden ist. Die Portale und das Innere reich an Skulpturen-

schmuck. Bedeutend vor allem die Vorhalle des Westportals unterhalb des Turms.
Abb. Äußeres, Seiten 50-51 St
„ Portal, Seite 56 Bi.

UNTERHAUSEN (Oberbayern), Gotische Kirche, 1465 erbaut, 1773 umgestaltet. Auf dem Hochaltar die sitzende Madonna aus Holz von Johann Degler.
Abb. Madonna, Seite 95 St.

VELASQUEZ, Diego, geb. 1599 in Sevilla, gest. 1660 in Madrid. Einer der bedeutendsten Maler Spaniens. Das Museum Madrid hat 61 Gemälde von ihm. Am eindrucksvollsten seine Porträts, edel, dekorativ und vornehm wie bei keinem anderen Maler. Siehe Seite 18.

VELDE, Willem van der, geb. 1633 in Amsterdam, gest. 1707 in London. Der bedeutendste Marinemaler seiner Zeit, der ebenso unermüdlich gemalt wie gezeichnet hat, das stürmische Meer und stille Gewässer. Sein bekanntestes Bild der Kanonenschuß im Reichsmuseum Amsterdam.
Abb. Seite 155.

H. Holbein

VESPERBILD, dasselbe wie Pietà (siehe dort).

VIERUNG, Mittelraum einer Kirche, der gebildet wird durch die Kreuzung zwischen Lang- und Querschiff.

VISCHER, Peter d. Ä., geb. 1455 zu Nürnberg, gest. 1529. Einer der Großmeister der deutschen Renaissanceplastik, der vor allem durch das Sebaldusgrab in Nürnberg und durch seine Bronzestatue des Königs Artus am Maximiliansgrab in Innsbruck zu Weltruhm gelangt ist. Mit 30 Jahren übernahm er die Werkstatt seines Vaters. Er arbeitete

Grabsteine für Krakauer Kirchen, 1495 entstand das reich ausgestattete Grabmal des Erzbischofs Ernst von Sachsen im Magdeburger Dom, 1496 das Grabmal des Bischofs Johannes Roth im Dom zu Breslau.

Das Sebaldusgrab arbeitete er gemeinsam mit seinen Söhnen, Peter d. J., Hermann und Hans. Der Vater schuf die 12 Apostel auf der mittleren Höhe der Pfeiler, von Peter d. J. stammen die Reliefs und Kleinplastiken. Von Hermann Vischer d. J. stammt das Grabmal in Römhild.

Abb. Sebaldusgrab, Seite 31
  „ Grabplatte Römhild, Seite 84
  „ Grabmal v. Neuerstädt, Halberstadt, Seite 85
  „ König Artus, Innsbruck, Seite 86
  „ Sebaldusgrab Nürnberg, Apostel Paulus, Seite 87.

VIERZEHNHEILIGEN (Oberfranken), Wallfahrtskirche und Cisterzienserpropstei. Nach Balthasar Neumanns Entwurf von 1743 durch den Bauführer Krohne begonnen, der sich selbständig Abweichungen erlaubte, die Korrekturen von Neumann notwendig machten. Der Chor der Kirche war zu kurz geworden, deshalb mußte der von Anfang an projektierte Gnadenaltar aus der Vierung in das Langhaus gerückt werden, so daß der Mittelpunkt des ganzen Baues sich verschob. — Hier in Vierzehnheiligen erlebt das Raumgefühl des deutschen Barocks seine höchste Vollendung. Es gibt nicht eine gerade Linie oder eine glatte Fläche, alles in diesem Raum ist durch Schwingungen und Kurven belebt.

Abb. Seite 63 Mü
  „ Grundrisse Seite 29.

VOORT, Cornelius van der, geb. 1576 zu Amsterdam, gest. 1624. Einer der besten Porträtmaler seiner Zeit, der sich bemühte, bei Gruppenbildern die in der Renaissance übliche Steifheit aufzulockern. Hat viele Bildnisse und mehrere Schützenstücke hinterlassen.

Abb. Schützengilde, Amsterdam, Seite 148.

VROOM, Hendrik, geb. um 1560 zu Haarlem, gest. ebenda 1640. Einer der ersten Maler, die Seestücke gemalt haben, wobei er aber mehr Wert auf das Dekorative und die Ausrüstung als auf das Malerische gelegt hat.

Abb. Seeschlacht, Amsterdam, Seite 154.

WALTER, Christoph, Bildhauer, geb. 1534 zu Breslau, gest. 1584 zu Dresden. Schuf eine große Anzahl von Skulpturen für die Frauenkirche in Dresden, die 1727 demoliert wurde. Bei dem Brand der Kreuzkirche gingen andere Werke von ihm zugrunde.

Abb. Altar, Penig, Sachsen, Seite 73.

WARTBURG bei Eisenach. Ursprüngliche Anlage schon aus dem 11. Jahrhundert. Vielfach umgebaut, unter Kurfürst Friedrich dem Weisen 1485-1525 instand gesetzt. Berühmt geworden vor allem durch den Aufenthalt Martin Luthers, der hier die Bibel übersetzt hat. 1838-1867 restauriert. Siehe Seite 12.

WATTEAU, Antoine, geb. 1684 zu Valenciennes. Ging schon 1702 nach Paris, wo er bald der tonangebende Künstler der Zeit wurde, der mit seinen galanten Bildern alle Welt bezauberte. Starb 1721 im Alter von erst 37 Jahren. Siehe Seite 18.

WECHSELBURG (Sachsen), Schloßkirche. Flachgedeckte Basilika aus dem 12. Jahrhundert. Das Langhaus im 15. Jahrhundert eingewölbt. Berühmt durch die Skulpturen im Inneren (1230-1235). Chor und Querschiff ursprünglich durch einen Lettner getrennt, der jetzt an die Grenze der Apsis zurückgeschoben ist. Die Kreuzigungsgruppe gehört mit zu dem Vollkommensten, was an Skulpturen aus romanischer Zeit auf uns überkommen ist.

Abb. Maria, Seite 111 Bi
  „ Marienkopf, Seite 102 Bi
  „ Altar, Seite 72 Bi
  „ Kanzel, Seite 68 Bi.

WERNECK (Unterfranken), Schloß, 1733-1737 von Balthasar Neumann erbaut. Hauptschauseite nach dem Park mit einer Front von 77 m. Zur Zeit als Irrenanstalt in Benutzung, infolgedessen im Inneren erheblich umgebaut.

Abb. Seite 35 Gu.

WEYARN (Oberbayern), Pfarrkirche. Auf altem Grundriß 1687 erbaut. Mit Skulpturen von Ignaz Günther (1762 bis 1764), die zum Teil durch modernen Anstrich in ihrer Wirkung beeinträchtigt sind.

Abb. Pietà, Seite 97.

WEYDEN, Roger van der, geb. um 1400 zu Tournay, gest. 1464 zu Brüssel. Hauptmeister der Brabanter Schule und Schüler des Jan van Eyck. War lange Zeit in Italien und Spanien. Seine Gemälde zeichnen sich durch eine besonders feine und zarte Behandlung der Figuren aus. In erster Linie religiöse Bilder, Verkündigungen, Anbetungen der Könige, Grablegungen und besonders reizvolle Madonnenbilder.

Abb. Beweinung, Berlin, Seite 126
  „ Madonnenkopf, Berlin, Ausschnitt, Seite 118.

WIEN, Kunsthistorisches Museum
Cranach, Judith, Seite 132
Chr. Amberger, Bildnisse, Seite 144-45
A. Dürer, Madonna, Seite 118
H. Holbein, Jane Seymour, Seite 134
P. P. Rubens, Beweinung, Seite 127
D. Teniers, Volksbild, Seite 151
H. Holbein, Männerporträt, Seite 138.

WIEN, Galerie Liechtenstein
P. P. Rubens, Kinderbilder, Seite 140-41.

WIEN, Stephansdom. Gotische Hallenkirche, deren älteste Teile auf eine Gründung von Heinrich Jasomirgott zurückgehen. Im Westbau die romanische Fassade noch gut erhalten, die Hauptschauseite im Süden rein gotisch. Im Inneren dunkel, aber von imposantem Eindruck, mit prachtvollen Glasfenstern. Reich an kostbarem plastischem Schmuck.

Abb. Seite 51.

WIENHAUSEN, Kr. Celle. Ehemaliges Cisterzienserkloster, berühmt durch die reiche Ausstattung an Wandteppichen aus verschiedenen Jahrhunderten, von Klosterfrauen gearbeitet. Die berühmteste Bilderfolge: drei Teppiche Tristan und Isolde aus dem 13. Jahrhundert.

Abb. Tristanteppich, Seite 158.

WIMPERG, Schmuckgiebel über Fenstern und Bögen in gotischer Zeit.

Wimperg

WIMPFEN am Berge (Hessen), Kaiserpfalz. Ruine einer ehemals stark befestigten Burg von mächtigen Ausmaßen, 225 m lang, 90 m breit. Heute noch zu erkennen zwei Türme, Burgtor, Saalbau und Kapelle. Siehe Seite 12.

WISMAR (Meckl.), St.-Marien-Kirche. Ursprünglich Hallenkirche aus dem 13. Jahrhundert, in der zweiten Hälfte des 14. Jahrhunderts als Basilika mit Kreuzgewölbe umgebaut. Backsteinbau. Länge des Mittelschiffs allein 60 m. Siehe Seite 14.

WITZ, Conrad, geb. um 1400 in Rottweil, gest. 1447 in Basel. Hauptmeister der oberrheinischen Malerschule. Werke in den Museen von Basel, Genf und Straßburg erhalten. Siehe Seite 14.

WOLFENBÜTTEL, Hauptkirche, auch Marienkirche genannt, von Paul Franke 1604-1623 erbaut, nach seinem Tode (1615) von Meyer und Langenlüddecke fortgesetzt. Renaissancebau auf gotischem Grundriß. Siehe Seite 16.

WOLGEMUT, Michael, Maler und Holzschnitzer, geb. 1434 zu Nürnberg, gest. 1519 daselbst. Hauptmeister der älteren fränkischen Schule und Lehrer Dürers. Hat die Altäre der Marienkirche in Zwickau und der Hallerschen Kapelle zum Heiligen Kreuz in Nürnberg geschaffen. Seine Werke von sehr unterschiedlicher Bedeutung, da er seinen Schülern oft einen Teil der Arbeit überließ.
Abb. Kreuzabnahme, Seite 124
    „ Sebastian, Seite 113.

WORMS, Dom St. Peter. Wird meist in Verbindung mit den mächtigen Domen in Speyer und Mainz genannt. Geht auf eine frühromanische Anlage aus dem 11. Jahrhundert zurück. Ursprünglich dreischiffig. Nach mehreren Erneuerungen wurde der heutige Dom Ende des 12., Anfang des 13. Jahrhunderts errichtet. Eine doppeltürmige Basilika mit zwei stumpfen achteckigen Zentraltürmen über Westchor und Vierung. Das Gewölbe im Inneren nach einem Brande 1689 größtenteils erneuert. Der Hochaltar am Ostchor und das Chorgestühl barock 1738 von Balthasar Neumann. Siehe Seite 12.

WOENSAM, Anton, von Worms. Geburts- und Todesjahr unbekannt, 1525 zum erstenmal in Köln erwähnt. Nur wenige, aber für seine Zeit besonders typische Gemälde von ihm erhalten.
Abb. Jüngstes Gericht, Berlin, Seite 128
    „ Kreuzigung, Seite 123.

WÜRZBURG, Dominikanerkirche aus dem 13. Jahrhundert. Der gotische Chor und die Seitenkapellen unverändert, das Langhaus durch Balthasar Neumann 1741 umgebaut, mit verändertem Pfeilerabstand, das barocke Raumbild aber dem gotischen Chor angepaßt.
Abb. Seite 75 Sch.

WÜRZBURG, Dom. Neben den großen rheinischen Domen der bedeutendste romanische Bau, begonnen 1133. Die Osttürme, die Giebel des Querschiffs und die Erhöhung der Apsis aus dem 13. Jahrhundert. Im 15. Jahrhundert wurden die Seitenschiffe gotisch eingewölbt, 1608 Mittel- und

Querschiff mit Tonnengewölbe versehen. Die Stuckdekoration im Stil des Barocks 1701 eingebaut. Zwei Grabsteine von Riemenschneider, der Grabstein des Fürstbischofs Rudolf von Scherenberg 1493 und der des Bischofs Lorenz von Bibra. Am nördlichen Querschiff die Schönbornkapelle.

WÜRZBURG, Marienkapelle. 1377 begonnen, 1470 beendet. Hallenkirche mit Netzgewölbe. Besonders schöner Raum. Am Südportal ursprünglich die im Luitpold-Museum befindlichen überlebensgroßen Figuren Adam und Eva von Riemenschneider, auch an den Strebepfeilern standen früher Statuen von Riemenschneider, heute durch Kopien ersetzt. Abb. Seite 61 Gu.

WÜRZBURG, Neumünsterkirche aus dem 11. und 13. Jahrhundert. Ursprünglich flachgedeckte Basilika mit zwei Querschiffen und einer geräumigen Krypta unter dem Ostchor, die bis unter die Vierung reicht. Im 18. Jahrhundert von Joseph Greising verändert. An der Straße eine geschweifte Barockfassade aus rotem Sandstein mit geschwungener Freitreppe. Abb. Seite 45.

WÜRZBURG, Universitätskirche. 1568 begonnen, 1591 geweiht. Eine der wenigen Renaissance-Kirchenbauten in Deutschland, die maßgebend geworden ist für den protestantischen Kirchenbau. Die in gleicher Zeit entstandenen Kirchen in Wolfenbüttel und Bückeburg noch in gotischem Raumgefühl, die Michaelskirche München nach italienischem Vorbild. Abb. Seite 62 St
„ Grundriß Seite 27.

XANTEN am Niederrhein. Von den uralten Bauten, die im Nibelungenliede erwähnt sind, nichts mehr vorhanden. Die ehemalige Stiftskirche St. Victor, der Dom von Xanten, ist der größte Kirchenbau des Niederrheins nördlich von Köln. Der älteste (romanische) Teil geht auf einen Bau zurück, der 1213 vollendet wurde. Siehe Seite 12.

ZWERGGALERIE, niedrige überdachte Galerie, vor allem in romanischer Zeit als Schmuck viel verwendet. Siehe Abb. Seite 52 bei der Kirche St. Gereon in Köln im oberen Teil des Chors.

Rembrandt

Die Photographen der Bau- und Bildwerke, soweit die Aufnahmen nicht vom Verfasser selbst gemacht wurden, sind im Register unter der Ortsangabe bei jedem Kunstwerk vermerkt.

Es sind bezeichnet die Aufnahmen:

Der Staatlichen Bildstelle, Berlin	mit Bi
Des Photographen Gundermann, Würzburg	„ Gu
Des Rheinischen Museums Köln	„ Kö
Des Kunsthistorischen Seminars Marburg	„ Ma
Staatliche Museen Berlin	„ Mu
Des Reg.-Baumeisters Müller-Grah, München	„ Mü
Des Germanischen Museums, Nürnberg	„ Nü
Des Verlags Dr. Stoedtner, Berlin	„ St
Der Württembergischen Bildstelle, Stuttgart	„ Wü

Je eine Aufnahme wurde geliefert von den Photographen:

Fritz Adam, Fürstenfeldbruck	bezeichnet mit A
Christof Müller, Nürnberg	„ „ C. M.
Schwarz & Co., München	„ „ Sch.

Albrecht Dürer